Reality

국내외 증강현실 산업분석보고서 2022개정판

㈜ 비티타임즈

<제목 차례>

01

증강현실 개요

1. 증강현실 개요

가. 정의

[그림 1] 밀그램의 이론을 통한 기술 분류

증강현실(Augmented Reality, AR)은 실제 환경에 가상의 이미지를 결합해 추가적인 정보를 제공하는 기술로, 실제가 아닌 가상현실을 체험할 수 있도록 하는 가상현실(Virtual Reality, VR)과는 차이가 있다.

증강현실은 가상현실과 달리 현실에 부가적인 정보를 보여주는 특징을 가진다. 증강현실은 통상적으로 가상현실과 같이 언급되는 경우가 많다. 최근에는 혼합현실(Mixed Reality) 등의 용어도 언급되고 있다.

완전한 가상 세계를 구성하는 가상현실과는 다르게 증강현실은 현실에 부가적인 정보를 보여주는 특징을 가진다. 혼합현실은 현실 환경과 가상현실 사이에 존재하는 모든 층위를 포함하는 개념으로, 증강현실 또한 혼합현실에 포함된다.

최근에는 증강현실, 가상현실, 혼합현실과 같은 모든 관련 기술들을 통칭하기 위해 XR 이라는 용어도 활용되고 있다. XR에서 X는 변수로 VR/AR 및 MR의 모든 기술을 통칭한다. [1)]

증강현실을 구현하기 위해서는 반드시 필요한 핵심 기술이 존재한다. 이에 대해 간단히 살펴보자.

1) VR/AR, 비현실의 현실화, 삼성증권, 2019.07.12

나. 핵심 기술[2)]

1) 객체 인식 추적 기술

증강현실에서의 객체 인식은 카메라 영상에서 현실세계와 가상세계를 정합하기 위한 관심 객체를 발견하고 인지하는 기술을 의미한다. 객체 인식을 위해 객체의 고유한 크기, 색상, 히스토그램, 텍스처 등 다양한 정보를 활용할 수 있으며, 증강현실의 경우 일반적으로 객체 인식은 추적을 통해 동시에 이루어진다. 객체 추적은 연속된 카메라 영상에서 카메라나 관심 객체의 움직임 또는 카메라와 관심 객체 사이의 상대적인 포즈 변화를 추정하는 기술을 말한다. 이를 위해 카메라(비전 센서), 가속도 센서, GPS, 자이로스코프, RFID 등의 다양한 센서를 활용할 수 있다. 비전 기반 객체 인식 및 추적을 위해서는 카메라 투영 행렬 계산, 영상 특징 검출/서술/매칭, 3차원 모델링과 같은 요소 기술을 필요로 한다.

① 카메라 투영 행렬

카메라 투영 행렬은 객체(장면)의 3차원 좌표(M)와 이에 대응하는 카메라 영상에서의 2차원 좌표(m) 사이의 관계를 표현한다. 일반적으로 핀홀 카메라 모델을 사용하며 크게 내부 행렬 K와 외부 행렬 E로 나누어진다. 내부 행렬은 카메라의 고유한 광학 특성과 관련된 파라미터를 포함하며, 여러 시점에서 촬영된 2차원 패턴 영상으로부터 계산될 수 있다. 외부 행렬은 객체와 카메라 좌표계 사이의 상대적인 이동(t) 및 회전(R) 변환과 관련된 파라미터를 포함하며, 일정한 양의 3차원 좌표와 이에 대응하는 2차원 좌표 쌍이 주어지면 구할 수 있다. 이처럼 카메라 투영 행렬이 결정되면, 임의의 가상 콘텐츠를 카메라 투영 행렬을 이용하여 투영함으로써 카메라 영상에 삽입할 수 있다. 결국 증강현실을 구현하기 위해서는 카메라나 객체의 움직임으로 인해 실시간으로 변하는 외부 행렬을 추정해야 하는데, 이를 위해서는 관심 객체의 3차원 좌표를 획득하는 기술과 카메라 영상으로부터 관심 객체에 대응하는 2차원 좌표를 획득하는 기술, 주어진 3차원-2차원 좌표를 이용하여 외부 행렬을 계산하는 기술이 필요하다.

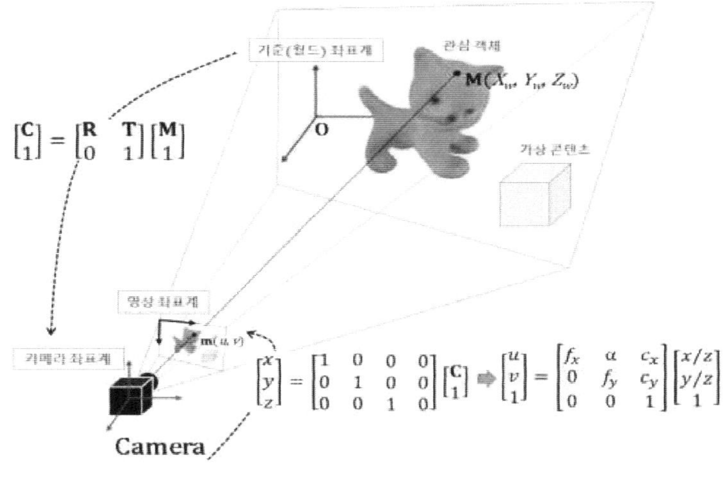

[그림 2] 객체의 3차원 좌표와 이에 대응하는 카메라 영상에서의 2차원 좌표 사이의 관계

2) 증강현실 요소기술과 동향 - 비전기반 추적 기술을 중심으로 -, 박한훈, 박종일, 한국멀티미디어학회지 제20권 제4호 2016년 12월

② 영상특징 검출/서술/매칭

관심 객체의 인식 및 추적을 위해서는 카메라 영상으로부터 객체의 2차원 좌표를 찾아야 한다. 이를 위해서 모든 객체 영역의 2차원 좌표를 찾지 않고 일부 특징적인 점, 에지(edge), 영역(region) 등을 찾음으로써 보다 효율적인 인식 및 추적이 가능하다. 이러한 특징적인 코너, 에지, 영역 등을 영상 특징 또는 짧게 특징이라고 하며, 영상 내에서 주변과 크게 구별되면서 반복되지 않는 특성을 가진다.

특징을 검출하기 위해서는 주로 픽셀 값의 변화가 큰 지점을 찾으며, 영상의 크기 및 회전 변환, 조명 변화 등에 강인하도록 해야 한다. 일반적으로 각 픽셀에서의 gradient 정보를 이용하여 가로, 세로 방향으로 높은 픽셀 값 변화를 가지는 점 혹은 영역을 찾는다.

특징 서술은 일반적으로 검출된 특징 주변의 텍스처 정보를 정량적으로 표현하는 특징 벡터를 구하는 과정으로, 특징 검출과 마찬가지로 영상변환이나 조명 변화에 강인하도록 서술해야 한다. 이를 위해 특징 주변의 일정 영역 내 픽셀 위치에서의 밝기 변화의 히스토그램이나 임의의 두 픽셀 값 사이의 차, 특정 위치에서의 픽셀 값 히스토그램 등을 활용한다. 텍스처가 부족한 객체나 장면의 경우, 특징 사이의 기하 관계를 활용하여 특징 벡터를 구할 수도 있다.

특징 매칭은 서로 다른 조건에서 촬영된 영상에서 특징 벡터 사이의 차이가 작은 대응 특징들을 찾는 과정으로, 해싱(hashing)이나 트리(tree) 기반 검색 등을 통해 매칭 속도를 향상시킬 수 있다. 대부분의 특징 검출, 서술, 매칭 방법들은 OpenCV 라이브러리에서 오픈 소스로 제공된다.

③ 3차원 모델링

3차원 모델링은 카메라 영상으로부터 현실세계의 3차원 좌표를 추정하는 것을 말하며, 스테레오 영상 혹은 다시점 영상으로부터 특징을 검출하고, 특징 사이의 대응 관계를 계산하여 대응되는 특징들에 삼각 측량을 적용한다. 다시점 영상은 여러 대의 카메라를 이용하거나 단일 카메라를 움직이면서 촬영함으로써 얻을 수 있으며, 비선형 최적화(bundle adjustment)를 통해 향상된 3차원 모델을 얻을 수 있다.

또한, 조명을 이용하여 현실세계에 선 모양의 그림자를 투영하거나 코드 패턴을 프로젝터를 이용하여 현실세계에 투사한 후 카메라로 촬영함으로써 삼각 측량을 위한 대응 특징 쌍을 얻을 수도 있다. 최근에는 깊이 정보를 함께 얻을 수 있는 3차원 카메라가 상용화됨으로써 각 시점에서 현실세계의 부분적인 3차원 모델을 바로 얻을 수 있기 때문에, ICP(iterative closest point)와 같은 알고리즘을 이용하여 각 시점에서의 3차원 모델을 결합한다.

가) 객체 인식/추척 기술 분류

① 마커 기반 인식/추적

마커 사용은 관심 객체의 인식과 추적을 위한 정보 획득을 용이하게 한다. 즉, 마커는 내부에 고유한 이진 패턴이나 모양을 가지기 때문에 쉽게 인식될 수 있고, 3차원 좌표를 알고 있는 코너를 가지며, 흑백으로 구성되어 카메라 영상 내에서 간단한 영상처리를 통해 강인하게 대응 코너를 검출할 수 있다.

이러한 장점으로 초기 증강현실 시스템들은 마커를 이용하였으며, ARToolkit과 같은 SDK가 보급되면서 증강현실 구현을 위한 기술 진입 장벽을 크게 낮추었다. 그러나, 가려짐에 대한 취약성, 인위적인 마커의 시각적 불편함(몰입감 저해)이나 유지, 보수에서의 어려움 등으로 인해 최근에는 마커 사용이 지양되고 있다. 다만, 이러한 마커 사용의 문제가 큰 영향을 주지 않는 응용분야(주로 오락, 교육 분야)에서는 여전히 마커를 사용한 시스템들이 개발, 사용되고 있으며, 일부 가려짐에 대한 취약성을 개선하거나 마커의 시각적 불편함을 해결하기 위한 방법들도 개발되어왔다.

② 텍스쳐 기반 인식/추적

텍스처 기반 방법은 관심 객체의 3차원 모델이 텍스처 정보를 가져야 하며, 일반적으로 특징 검출/서술 방법을 활용한다. 3차원 모델과 카메라 영상으로부터 특징을 검출하고 서술하여 대응 관계를 구함으로써 각 특징에 대해 3차원-2차원 대응 쌍을 획득할 수 있고, 이로부터 PnP(Perspective-n-point) 방법을 통해 카메라 포즈를 계산할 수 있다. 관심 객체가 2차원 평면일 경우 3차원 모델 정보를 필요로 하지 않으며, 임의 시점에서의 카메라 영상을 참조 영상으로 하여 현재 시점에서의 카메라 영상과의 특징 대응 쌍을 획득한 후, 호모그래피(hmography) 관계를 이용하여 보다 간단하면서도 정확하게 카메라 포즈를 계산할 수 있다.

③ 에지 기반 인식/추적

관심 객체 자체가 텍스처가 부족하거나 주어진
관심 객체의 3차원 모델이 텍스처 정보를 가지지
않을 경우, 기존 특징 검출/서술을 통한 카메라
포즈 추정은 불가능하기 때문에, 다른 접근 방법이 필요하다. 텍스처가 부족한 객체의 경우 일반적으로 에지를 특징으로 이용하며, 그림 6에서 보는 것처럼 이전 프레임에서의 카메라 포즈(R, t)
를 이용하여 3차원 모델을 현재 프레임에 투영한
후, 식 (2)를 이용하여 투영된 모델 에지와 카메라
영상에서 검출된 에지 사이의 오차를 최소화함으로써 이전 프레임과 현재 프레임 사이의 미소 카메라 포즈 변화(ΔR, Δt)를 추정할 수 있다. 추정된 포즈 변화를 이전 프레임의 카메라 포즈에 반영하여 현재 프레임에서의 카메라 포즈를 얻을
수 있다[8]. 복잡한 배경의 경우 많은 에지 성분을
포함하기 때문에, 객체의 경계선을 정확하게 추정해서 추적해야 할 필요가 있다. 이를 위해 객체의 고유한 색상이나 텍스처 정보가 활용될 수 있다.

④ **템플릿 기반 인식/추적**

모델 에지를 추적하지 않고, 투영된 모델과 영상의 픽셀 밝기 차를 반복적으로 최소화하는 영상 정렬(image alignment) 기법을 활용하는 방법들도 있다. 최근에 단순히 픽셀 밝기만을 이용하지 않고 가우시안 미분 값을 이용하거나 카메라 움직임으로 인한 픽셀 밝기 변화를 보다 정교하게 모델링하여 강건하게 카메라 포즈를 추정하는 방법이 제안되었다.

에지 기반이나 템플릿 기반 방법의 경우, 이전 프레임에서의 카메라 포즈를 필요로 하기 때문에, 시작 프레임에서의 카메라 포즈를 구하는 방법이 필요한데, 그래디언트 방위 정보를 이용하여 텍스처가 부족한 객체를 인식하는 방법을 활용할 수 있다.

⑤ **SLAM(Simultaneous Localization and Mapping)**

일반적으로 관심 객체의 3차원 모델을 얻는 것은 쉽지 않고, 미리 모델링을 할 수도 없는 상황일 경우, 3차원 모델링(지도 생성)과 카메라 포즈 추정을 동시에 수행할 수 있다. 이를 위한 방법으로, 현실 세계를 여러 시점에서 촬영한 영상으로부터 추출된 특징을 매칭하고 이를 3차원으로 복원함으로써 3차원 특징점 지도를 생성하고, 생성된 지도를 이용하여 지도상의 카메라 위치와 자세를 계산하는 방법인 Visual SLAM이 제안되었다. 이 방법은 실시간으로 추적이 가능하지만 모든 영상 프레임에 대해 지도 갱신과 추적이 이루어지기 때문에 중복되는 데이터를 처리하는데 많은 연산 시간을 소모하게 되어 정확하고 강건한 지도 갱신 방법을 적용하기 어려운 단점이 있다. 이러한 단점을 개선하기 위한 방법으로, 계산량이 많은 지도 생성에 걸리는 시간을 줄이기 위해 지도 생성을 키 프레임에서만 수행하고(모든 프레임에 대해 지도 생성을 하지 않기 때문에 sparse bundle adjustment를 통해 고속으로 최적화 가능), 추적과 지도 생성을 분리하여 두 개의 쓰레드에서 병렬처리 하도록 함으로써 보다 정확하고 빠르게 SLAM을 수행할 수 있다. 그러나, 초기의 Visual SLAM 방법은 텍스처가 풍부하고 작은 공간에서만 활용할 수 있다는 제약을 가지고 있었으나 최근에는 특징점이 아닌 영상의 모든 화소를 사용함으로써 텍스처가 부족한 공간에서 활용 가능한 방법이나 넓은 공간에서 활용 가능한 방법도 제안되었다.

2) 영상 합성 기술

증강현실은 현실세계 위에 가상세계를 겹쳐놓는 기술이기 때문에 카메라로 받아들인 실사 영상에 컴퓨터로 제작한 영상을 자연스럽게 합성하는 기술이 꼭 필요하다. 자연스런 영상합성을 위해서는 실사 객체를 잘 분할하거나 추출할 수 있어야한다.

증강현실은 실사와 CG의 합성 뿐만아니라 실사와 실사의 합성을 요하기도 한다. 하나의 실사에서 객체를 뽑아내서 다른 실사 속에, 즉 다른 환경에 집어넣을 경우에는 새로운 환경에 맞게 실사 객체를 재조명해야한다.

가장자리의 화소가 배경과 적절히 블렌딩되지 않으면 부자연스런 결과를 얻게 된다. 경계면의 화소에 대해 배경 성분과 어느 정도의 비율로 섞어줄지를 적절히 결정하면 매우 자연스런 영상을 얻을 수 있다. 영상의 재조명 기술은 최근에 많은 발전을 이루어, 물체 상호간 반사(inter-reflection)나 가상객체의 그림자가 실사에 반영되는 등의 고차원적 표현이 가능하게 되었다.

3) 실시간 상호작용 기술

증강현실 시스템에서는 사용자의 관찰위치에 맞게 적절한 위치에 가상객체가 제시되도록 설계되어 있는데, 단순히 보여주는 차원을 넘어서 사용자가 가상객체와 상호작용을 하는 것은 실감을 구현하는데 필수적인 요소이다. 종래의 컴퓨터 인터페이스처럼 키보드나 마우스를 사용하는데 그치지 않고, 실환경에서 사용자가 자연스런 동작으로 상호작용을 할 수 있도록 만들어주는 다양한 사용자 체험이 제안되어 이용되고 있다.

자연스런 실시간 상호작용을 가능하게 하는 NUI(natural user interface)로 몸동작 인식, 손동작 인식, 얼굴 인식/추적 기술이 많이 사용된다. 몸과 손동작 인식은 과거에 상당히 어려운 기술로 여겨졌으나 Microsoft사에서 Kinect를 내놓은 이후로 비약적인 발전을 이루었다. Kinect의 요체는 실시간 깊이맵 추출과 이를 이용한 사용자 자세 추정 기술이다. 2011년에 Kinect 하드웨어가 나오고, 거기서 나오는 실시간 깊이맵을 사용하여 학습기반의 실시간 신체 자세 추정기술이 제시되면서 몸동작을 이용한 자연스런 상호작용이 가능하게 되었다. 일반적으로 RGB영상에서는 사용자의 몸을 추출하거나 손영역을 뽑아내는게 극히 어려운 과제이지만, 깊이맵을 사용하면 비교적 용이하게 배경으로부터 몸과 손을 분리해낼 수 있고, 적절한 불규칙 결정 트리를 이용한 학습을 통해 몸이나 손의 동작을 실시간에 인식할 수 있다.

증강현실 시스템에서 가상객체를 조작하는데 가장 중요한 인터페이스는 손동작이다. 마치 실물을 만지거나 조작하는 것과 똑같이 가상객체를 다룰 수 있도록 하려면 실시간에 정확한 손동작을 얻어내야 한다. 손으로 객체를 만지고, 돌리고, 이동시키는 동작은 비교적 간단한 처리로도 구현할 수 있으며, HMD를 이용하는 증강현실 시스템에 매우 유용하게 적용될 수 있다. 최근에는 깊이카메라 영상을 이용하여 손가락 마디 하나하나의 동작을 실시간에 정확하게 추출하는 기술이 개발되었다. 복잡한 손동작도 실시간에 정확히 추출하는 기술이 나날이 발전하고 있으며, RGBD카메라의 소형화와 함께 다양한 솔루션이 개발되고 있다.

가) 상호작용 방법[3)]

(1) Browsing Interface

Browsing interface는 단순히 데이터를 들여다보는 방법으로 가상의 정보를 실제 영상에 정합을 시켜서 보는 방법들을 통칭한다. 예를 들어 State는 Video See Through HMD를 개발하여 다양한 정보를 볼 수 있게 하였는데 환자의 수술부위를 볼 수 있도록 하는 예를 제시하였다. 일반적으로 이러한 방법들은 사용자가 인터랙션을 적극적으로 하기보다는 시점을 변경함으로 정보를 다양한 관점에서 바라보기 때문에 사용하기가 쉽고 단순한 측면이 있다.

Navicam은 이러한 Browsing Interaction의 대표적인 예로 매우 이른 시기에 개발된 핸드헬드 디스플레이를 이용한 증강현실 기법이다. 여기에서 사용되는 방법은 최근에 사용되는 스마트폰 기반의 증강현실에도 같은 원리로 적용이 되고 있다. 즉 사용자가 대상물을 핸드헬드 디바이스의 카메라로 바라보면 대상물에 대한 정보를 보여주는 방식이다.

Navicam의 구조는 일반적으로 통용되는 많은 AR Browsing 시스템의 기본적인 구조라고 할 수 있다. 모바일 디스플레이나 혹은 헤드업 디스플레이에 카메라를 장착하여 카메라가 본 영상을 분석하여 적절한 메시지를 생성하고 그 메시지를 카메라의 영상에 합성해서 모바일 디스플레이 혹은 헤드업 디스플레이에 투영해주는 방식이다. Navicam에서는 color code를 인식해서 해당되는 정보를 보여주는 방식을 사용하였으나 최근에는 카메라의 위치를 추적(tracking) 하거나 물체를 영상을 통해 인식(recognition)하는 등의 방식으로 해당되는 정보를 보여주는 방식을 주로 사용한다.

(2) Tangible Interface

AR은 실제 세계와 가상 세계를 연결하기 때문에 현실 세계의 객체를 AR 인터페이스 요소로 사용할 수 있으며 물리적인 조작으로 가상 컨텐트와 상호 작용할 수 있는 매우 직관적인 방법을 제공할 수 있다. 이전에 Ishii는 사용자가 물리적인 물체로 디지털 정보를 조작 할 수 있는 인터페이스인 Tangible User Interface (TUI)의 개념을 개발했다. TUI는 친숙한 속성, 물리적인 제약(constraint) 및 적합성(affordance)을 가지고 있어 사용하기 쉽기 때문에 실제 인터페이스는 강력하다.

Tangible UI의 좋은 예로 I/O Brush가 있다. 여기에서는 사용자가 붓형태의 인터페이스를 사용해서 색칠을 하거나 그림을 그리게 된다. 이 붓형태의 인터페이스에는 카메라가 달려 있어서 특정 색 및 매질을 취득하고 그 스타일로 그림을 그릴 수가 있다. 사용자는 붓형태의 인터페이스를 사용하면서 실제로 만져지는 도구를 통한 직관적인 체험을 할 수가 있다. 이와 같이 Tangible UI는 사용자가 기존에 사용하는 일상 도구와 유사한 방식을 차용할 때 그 효과를 극대화할 수가 있다.

3) 증강현실에 사용되는 상호작용 방법의 종류 및 분석, 황재인, 정보처리학회지 제25권 제2호(2018. 7)

이러한 Tangible UI의 다른 예로 Triangles와 ActiveCube가 있다. Triangles 에서는 삼각형의 물체를 사용해서 사용자가 스토리텔링을 이어 갈 수 있도록 되어 있고 ActiveCube에서는 센서가 장착된 정육면체를 연결하고 해지하면서 다양한 형태로 조합을 해볼 수 있다. 이러한 형태는 최근의 영유아용 교구에도 활용되고 있다.

이러한 Tangible UI를 증강현실과 결합한 것을 Tangible AR이라고 부르는데 ISAR 2000에서 이 개념이 소개되었다. 이 방법은 AR 입력방식에서 흔하게 사용되는 방식으로 종종 이용된다. Tangible AR의 좋은 예로 많이 언급되는 예제가 Kato가 개발한 VOMAR라는 것이다. VOMAR의 경우에는 실제 물리적인 패드를 사용해서 가상의 가구를 배치하고 위치를 바꾸는 일을 할 수 있다. 사용자는 HMD를 착용한 채로 카메라로 들어오는 영상과 합성된 가상의 가구들을 보면서 패들을 이용하여 조작을 한다. 패들의 움직임은 제스쳐 기반의 명령과 대응이 되어 있는데 예를 들어 패들을 기울이는 동작은 가상 물체를 그 장면에 놓는 명령이고 모델을 치는 동작은 삭제를 하는 동작이다. 이러한 직관적인(intuitive) 명령의 매핑은 물리적인 적합성(affordance)를 높여 줘서 경험이 없는 사용자도 쉽게 3차원 가상 장면을 생성할 수 있게 한다.

이외에도 다양한 Tangible AR 기법들이 시도되었다. Reitmayr는 실제 지도와 디지털로 가능한 다양하고 다이내믹한 정보를 결합함으로 기존 지도에서 제공할 수 없는 서비스를 제공하였다. 이 방법에서는 사각형의 영상 브라우저 인터페이스를 사용해서 특정 장소에서 촬영된 이미지를 보여준다. 그리고 두 번째 인터랙션 기기는 지도상의 위치와 관련된 정보의 제어를 할 수 있도록 도와준다. 사용자는 PDA와 사각형의 영상 브라우저 인터페이스를 사용하여 지도상의 특정 영역 및 내용을 PDA를 사용하여 선택 및 지정하고 그 결과의 이미지를 영상 브라우저에서 보여주게 된다.

이 시스템은 상부에 설치된 카메라로 테이블의 지도 및 PDA를 인식하고 PDA로 지정한 명령 등을 해석하여 상부의 프로젝터로 적절한 위치에 정보를 프로젝션해주는 구조를 가진다. PDA는 wifi를 통해서 PC와 통신하여 생성된 영상을 반영하는 구조이다.

영상에서 지도 및 PDA를 인식하는 것은 다음과 같은 과정을 거친다. 비디오 영상에서 rectified image에서 특징점 추출을 하고 영상 매칭을 하는 과정과 threshold image를 생성하고 선과 사각형을 추출하는 과정이 수행된다. 이를 통해서 지도의 위치, 영상 브라우저의 위치, PDA의 위치 등이 파악되게 된다. 이와 같이 Tangible AR에서 인터랙션 도구의 위치 및 자세의 추적은 매우 중요한데 이를 위해서 특징이 되는 마커를 사용하거나 혹은 영상처리 방법을 사용하는 것이 일반적이다.

(3) 맨손 인터페이스(Bare-hand Interface)

맨손으로 인터랙션을 하는 것은 AR 환경에서 가장 직관적이고 자연스러운 방법 중에 하나이다. 맨손을 써서 인터랙션 하는 것은 다양한 기술을 써서 구현이 가능한데 가림 기반 인터랙션, 깊이 카메라를 이용한 인식, 컬러 영상을 사용한 인식 등의 방법이 있다.

가림 기반 인터랙션(Occlusion based interaction)은 맨손을 이용하는 인터랙션 중에서 쉽고 직관적이면서도 정확도가 높아서 자주 사용되는 방법이다. 이 방법은 바닥면에 작은 마커를 가로 세로로 배치하여 사용자가 손으로 특정 부분을 선택하면 가려진 부분의 모습으로 손 끝이 어디에 있는지 계산하여 그 부분을 선택하도록 한다. 가려진 부분의 principal axis를 계산하는 방식이나 혹은 단순하게 특정 코너 (예. 왼쪽위)를 선택하는 부분으로 지정하는 등의 방법을 사용할 수도 있다.

이러한 OBI는 다양한 곳에 이용이 가능한데 메뉴를 선택한다든지 버튼을 선택하는 인터페이스로 사용한다든지 3D 마우스를 생성하고 그 버튼 누름으로 이용한다든지 하는 용도가 있다. 최근에는 자연 특징점의 검출을 이용한 OBI가 상용 수준에서도 사용이 되고 있다. 이 중에 대표적인 것으로 Vuforia의 virtual button 등이 있다. 이런 자연 특징점 기반 OBI는 특징점이 많은 배경에서 가리는 부분을 선택한 것으로 지정하는 방식으로 진행이 된다.

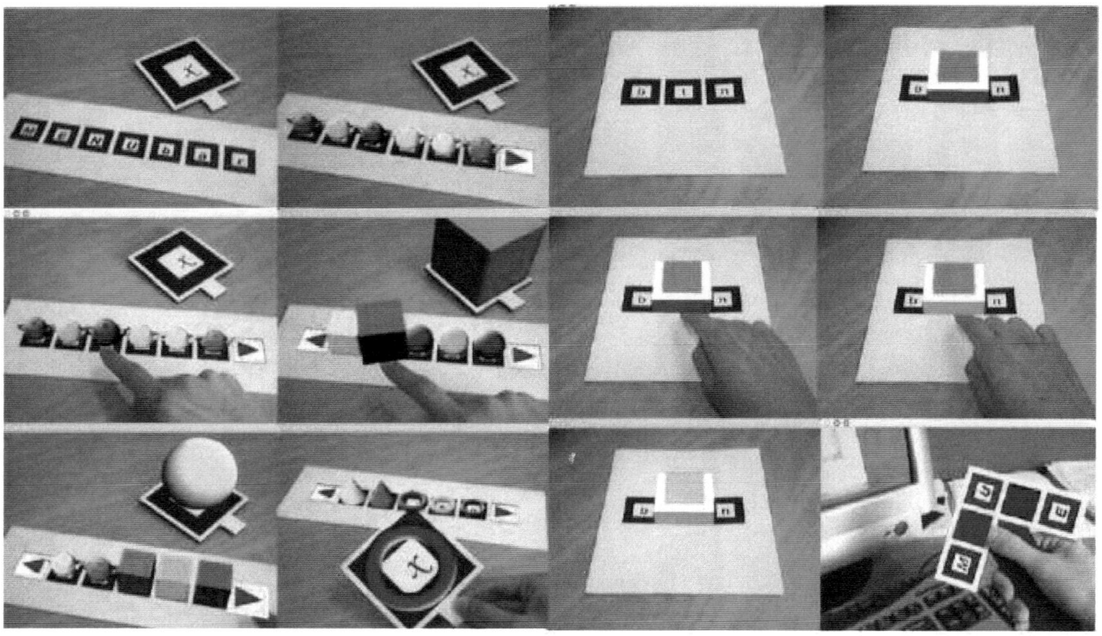

[그림 3] (좌) OBI를 이용한 메뉴의 선택 (우) OBI AR button 및 3D mouse

(4) Haptic Interface

햅틱 인터페이스는 증강현실에서 존재하지 않은 물체를 만졌을 시에 마치 실제로 만져지는 듯한 느낌을 줘서 존재하는 듯이 사용자가 착각하게 할 수 있는 방법이다. 햅틱 인터페이스 장치들은 기계적인 신호를 렌더링하여 사용자가 터치와 운동감을 느낄 수 있게 하는 것을 일컫는다.

증강현실에서 햅틱 인터페이스를 사용하는 것은 다양한 방법으로 접근이 가능하다. 크게 두 가지로 분류하면 cutaneous/tactile(피부/촉각)과 kinesthetic(운동)으로 분류가 가능하다. Cutaneous/tactile 방식은 cutaneous, active surfaces, mid-air등의 방법이 있다. Cutaneous한 방법은 피부에 작용하는 햅틱으로 예를 들어 손 끝에 자극을 주는 경우가 있

다. Active surfaces는 상대적으로 넓은 면적에서 모양과 tactile 정보를 준다. Mid-air 방식은 접촉이 없이 tactile 한 느낌을 주는 것으로 예를 들어 초음파 방식으로 자극을 주는 방법 등이 있다.

Kinesthetic 방법은 manipulandum, grasp, exoskeleton 방식이 있다. Manipulandum방식은 땅에 고정된 3에서 6 자유도를 가지고 움직이는 기기를 사용하는 방식이다. 예를 들어 햅틱 장치 중 Phantom 등을 사용하는 것을 의미한다. Grasp 방식은 사용자의 손이 쥐는(grasp) 인터랙션을 시뮬레이션 해서 손끝이나 손에 자극을 주는 방식이다. Exoskeleton방식은 몸에 부착하거나 해서 자연스럽게 몸의 자유도를 활용하여 자극을 주는 방식이다.

02

기술 동향

2. 기술 동향

가. 국외 기술 동향

1) 디스플레이 기술

사용자의 몰입감을 높이기 위한 핵심기술요인은 시야각(FOV: Field of View)과 해상도, 재생빈도로 구분된다.

① 시야각

AR HMD의 시야각은 14.7˚(Goolge-Google glass)에서 35˚(Microsoft-Hololens), 60˚(ODG-R9), 90˚(Meta-Meta2) 등 제품별로 시야각에 큰 편차를 보이고 있다.

② 해상도

VR/AR HMD는 대부분 HD(720p) 또는 full HD(1080p=2K) 수준의 해상도를양안 디스플레이를 통해 제공하고 있다. VR/AR분야의 디스플레이 패널은 기존 액정 기반 디스플레이(LCD: Liquid Crystal Display)에서 얇은 두께로도 높은 해상도를 제공할 수 있는 OLED(Organic Light Emitting Diode) 기반 디스플레이로 전환되는 추세다.

③ 재생빈도

동일 시간에 얼마나 많은 화면 프레임을 표시할 수 있는지를 나타내는 재생빈도 지표는 높을수록 사용자의 가상멀미(virtual-sickness)를 최소화하며, 현재 VR 기기 중 LCD 기반 제품의 재생빈도는 65Hz, OLED 기반 제품의 경우 약 86Hz의 수준까지 개발되었다.

2) 트래킹 기술

가상현실/증강현실 분야에서 연구개발된 트래킹 기술은 대부분 센서, 비전, 또는 이 둘을 융합한 하이브리드 추적 기술로 구성된다. 최근 6DoF(Degree of Freedom)구현을 위해 GPS, 가속도센서, 자이로스코프, RFID, 무선센서 등이 결합 된 하이브리드 위치 추적 기술이 연구개발되고 있다. Microsoft는 추적 대상이 시야에서 벗어나거나 장애물에 가려도 트래킹을유지할 수 있는 인사이드-아웃 트래킹 기술을 연구개발함으로써 일상생활 속 가상현실 기술의 활용 편의성을 대폭 향상시켰다. 구글은 'Tango Project'를 통해 적외선 카메라를 활용해 3D환경을 탐색하거나 공간의 특징을 파악할 수 있는 비전 트래킹 기술을 개발했다.

3) 렌더링 기술

사용자에게 가상현실/증강현실 콘텐츠를 실시간으로 제공하기 위한 기술로써 지연시간(latency)을 20ms 이하로 단축시키기 위한 연구개발이 진행되고 있다. NVIDIA는 고품질 가상현실 콘텐츠에 대해 사용자가 경험하는 지연시간을 단축 시킬 수 있는 Direct Mode 기술 및 실시간 처리 기술을 연구개발했다. AMD는 HMD를 통해 사용자에게 제공되는 VR/AR 콘텐츠의 지연시간 단축을 위해 헤드트래킹 속도를 높이는 Latest data latch 기술, 이미지의 생성 속도를 높이는 기술 등을 개발하고 있다.

4) 인터랙션 및 사용자 인터페이스 기술

키보드나 마우스와 같은 간접입력 장치를 사용하지 않고 음성이나 동작 등 자연스러운 사용자 조작환경인 NUI/X(Natural user Interface/Experience) 기술이 대두되고 있다. AMAZON은 음성 인터페이스 기술인 인공지능 Alexa를 AR HMD 기기인 Smart glass에 적용함으로써 보다 자연스러운 사용자 조작환경을 구현하고 있다. Leap motion은 적외선 카메라 트래킹 기술을 바탕으로 사용자의 손바닥 및 손가락 정보를 추적하고 이를 가상현실 속에서 반영할 수 있는 동작 인터페이스기술을 개발했다. Virtuix의 'Omni', Cyberith 'VIRTUALIZER' 등 가상현실에서 사용자의 이동 능력을 구현하기 위한 인터페이스 기술에 대한 연구개발이 진행 중이다.

나. 국내 기술 동향

1) 디스플레이 기술

국내 디스플레이 기술은 삼성전자와 LG전자를 중심으로 OLED 디스플레이 기술을 기반으로 한 해상도, 재생빈도 관련 기술을 선도하고 있다. 한국전자통신연구원에서는 기존보다 넓은 동작 온도 범위를 가지며, 정밀한 서브픽셀의 구현이 가능한 백색 OLED 기술을 개발했다.

2) 트래킹 기술

트래킹 기술의 경우 센서 및 비전 트래킹 소프트웨어에 대한 연구개발이 주를 이루며, 이를 구성하는 센서 하드웨어의 90% 이상을 해외 수입에 의존한다. 한국전자통신연구원은 직선 레이저와 AR기술을 활용한 고밀도 3차원 데이터 획득이 가능한 스캐닝 SW를 개발하였으며, 최소의 사진영상만으로 내부/외부 정보를 추정할 수 있는 소프트웨어 기술을 보유하고 있다. 비주얼캠프는 사용자의 시선을 추적할 수 있는 기술인 Eye-tracking 기술을 국산화하여 다양한 VR/AR 기기에 접목하고 있으며, MAXST는 Marker Tracker, Image Tracker 등의 기술을 접목한 AR 솔루션을 개발하여 사용자 간의 협업이나, 정비 산업 등에서 적용하고 있다.

3) 렌더링 기술

국내 학계 중심으로 대용량 데이터 처리 및 렌더링에 대한 연구가 진행되고 있으며, 산업계에서는 내부 R&D 위주로 개발이 진행되고 있다. 대용량 지형 데이터의 실시간 가시화를 위해 데이터를 메모리 상에 효율적으로 구조화하는 방법이 연구되고 있으며, 최근에는 쿼드트리 기반의 상세 단계 선별 기법을 GPU에서 처리하는기술이 개발되어 렌더링 속도가 향상되는 성과를 얻기도 했다.

4) 인터랙션 및 사용자 인터페이스 기술

NUI/X 기술 관련하여 타 기술과의융합이 부족하여 파급력은 미미한 상황이지만, 기술 국산화가 진행되고 있다. 한국전자통신연구원(ETRI)은 3D 카메라 제작 기술을 활용한 동작 인터페이스 관련 원천기술을 개발하였으나, 큰 파급효과를 가지지 못했다.

가우디오랩은 소프트웨어 기술 기반으로 청각 기반의 사용자 상호작용 기술분야를 연구하고 있으며, 청각 인터페이스 분야에 뛰어난 성과를 거두었다. 이노시뮬레이션은 머신 기반의 사용자 이동/동작/움직임 상호작용 기술을 통해 자동차, 철도, 국방, 미디어 등 다양한 분야에 진출했다.

다. 분야별 활용 사례

1) 의료분야

① 모바일 증강현실 의료영상 서비스 모딥(MODIP)[4]

[그림 5] 모딥 시연 화면

국내 소프트웨어 업체인 메디컬아이피는 모바일 증강현실 의료영상 서비스 '모딥(MODIP)'을 개발했다고 발표했다. 모딥은 메디컬아이피의 AI 의료영상 소프트웨어 '메딥(MEDIP)'으로 처리한 의료영상을 모바일 기반 증강현실 환경에서 이용할 수 있도록 해주는 신규 서비스로, 현재 프로토타입의 개발을 완료했다.

모딥을 이용하면 누구나 보유하고 있는 모바일 기기로 일반인들이 이해하기 어려운 3차원 의료영상을 손쉽게 확인함으로써 장소, 시간, 장비 등의 물리적 제약을 극복하는 동시에 환자나 보호자가 해부학적 정보와 의료행위에 대해 보다 쉽고 정확하게 인지할 수 있을 것으로 기대된다.

메디컬아이피의 대표이사는 이번 개발을 계기로 해외 의존도가 높았던 의료용 증강현실 콘텐츠의 국산화에 힘쓰고 시공간의 제약 없는 의료서비스를 지원함으로써 4차 산업 시대에 걸맞은 의료 산업 패러다임을 선도하겠다는 포부를 밝혔다.

4) 메디컬아이피, 모바일 증강현실 의료영상 서비스 '모딥' 개발, 임솔, 메디게이트, 2019.12.30

② **암수술용 AR 기기**[5)]

[그림 6] 암 수술 전용 증강현실 영상 구현 기기

한국광기술원은 세계 최고 수준의 넓은 시야각과 높은 해상도를 지닌 안경 방식의 암 수술용 증강현실(AR) 영상구현 기기(EGD)를 개발을 발표했다. 광기술원 공간광정보연구센터 연구팀이 개발한 AR 기기는 단일 기능성 AR 광학계를 기반으로 암영상 획득, 재생, 정합 과정을 일원화했으며, 60도 이상의 광시야각, 2K 이상의 고해상도 화질, 30cyc/㎜(㎜당 30개 패턴 반복) 이상의 높은 광학 해상력을 구현했다.

연구팀 관계자는 수술항법 장치인 입체정위술을 적용해 만들어진 3차원(3D) 암 영상 위치가 실제 환부와 맞을 수 있도록 깊이감의 차이를 줄였다며 음성 인식과 손동작 인식 기능을 기반으로 의사가 수술 현장에서 환자의 자기공명영상(MRI)이나 컴퓨터 단층촬영(CT) 영상을 실시간으로 참조할 수 있다고 소개했다.

앞서 연구팀은 경북대와 함께 암 영상 밝기를 주변 조도량 변화에 상관없이 동일하게 제공할 수 있는 능동형 감광소자를 개발해 AR 디바이스에 적용했다. 연구팀 관계자는 다양한 수술실 환경에서도 같은 밝기로 증강된 암 영상을 보며 암 조직 제거술을 시행할 수 있다고 설명했다.

---

5) 암 수술용 AR기기 개발한 광기술원, 임동률, 한국경제, 2020.04.15

③ 증강현실 수술[6)]

존스 홉킨스 신경외과 척추융합연구소장인 위담박사팀이 증강 현실을 이용해 진행한 수술인 척추 척색종은 척추뼈나 두개골 기저부에서 자라는 드문 암성 종양이다. 증강 현실 수술을 위해 의사가 사용하는 기술은 CT 스캔을 기반으로 뼈 및 기타 조직과 같은 환자의 내부 해부학 이미지를 투사하는 투명 아이 디스플레이가 있는 헤드셋을 이용하여 본질적으로 외과 의사에게 X선 비전을 제공하는 기술이다.

증강 현실은 혈전 제거 또는 음경 이식 수술과 같은 수술에 대해 의대생을 교육하는 데 몇 년전부터 사용되어 왔다. 그러나 단순한 수술 훈련에서 일반인 환자들에게 실제 사용하기 까지는 여러 단계를 거쳐 왔는데,존스 홉킨스 병원의 수술팀이 사용한 증강현실 수술 장치는 이스라엘에 본사를 둔 회사인 오그메딕스(Augmedics)에서 제조한 의료기기다.

존스 홉킨스 신경외과 척추 융합 연구소 위담과 동료들은 2019년부터 이스라엘 오그메딕스 회사와 협력하여 새로운 증강 현실 헤드셋을 시험하기 시작했다. 그들은 시체의 척추에 나사를 삽입하여 장치 테스트했고, 이 연구 결과를 2019년 여름 Journal of Neurosurgery Spine에 게재하였다.

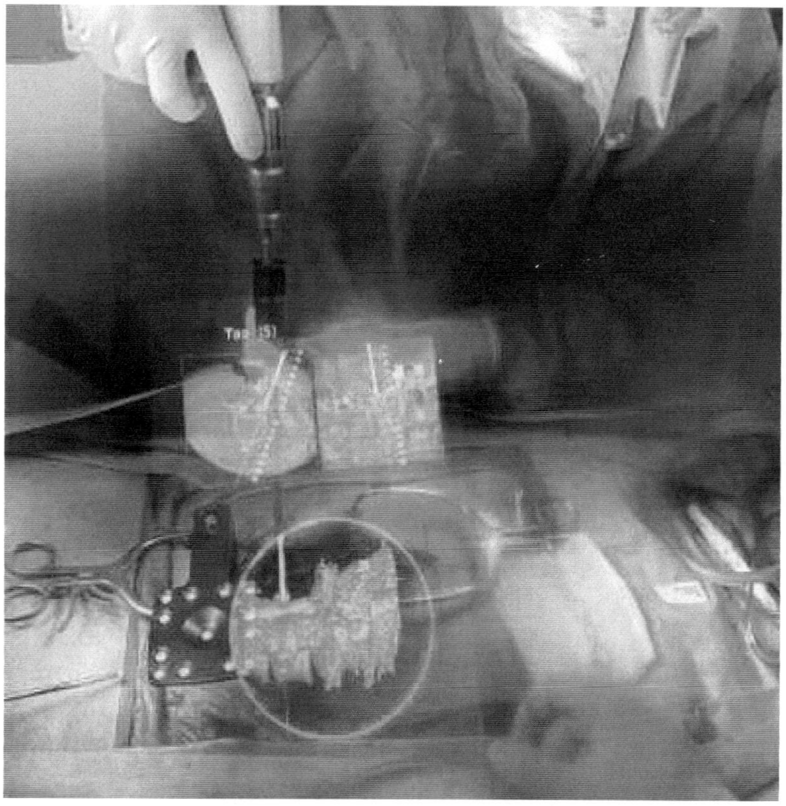

[그림 7] 증강 현실을 사용하는 외과 의사의 수술 모습

---

6) 의료 메타버스 시대가 오고 있다., 엠디저널, 2022.02.10

④ **증강현실 척추수술 플랫폼**[7)]

국내 분당서울대병원 정형외과 척추분야 연구팀이 증강현실 기술을 적용한 척추수술 플랫폼을 개발했다. 분당서울대병원 정형외과 척추연구팀과 서울대·인하대·숭실대 공과대학, 연세대학교 세브란스병원, 국내 응용소프트웨어 및 광학기술 개발 업체가 함께 증강현실 기술을 적용한 척수수술용 툴킷을 개발하고, 실시간 영상 합성이 가능한 원천기술을 선보였다.

순수 국내 기술로 개발된 이 플랫폼은 척추 고정에 사용하는 척추경 나사를 인체 구조물 위에 증강현실 기반의 오버레이 그래픽으로 정확하게 실시간 투영시키는 것이 특징이다. 이를 통해 수술 집도의는 수술 부위를 보다 정확하게 파악해 더욱 정교하고 안전한 수술을 할 수 있게 됐다.

집도의가 착용한 안구 촬영용 IR 카메라가 집도의의 시선을 추적해 집중하고 있는 부위를 중점적으로 시각화 할 수 있는데, 증강현실 기반 오버레이 렌더링 시 딥러닝 기술을 이용해 척추체의 분절화(segmentation)를 구현해 증강현실 영상의 정확도를 높였다는 점에서 그 동안 발표된 기존 증강현실 제품들과 차별점이 있다.

또한, 기존에는 수술 기구의 삽입 위치를 확인하기 위해서는 수술 중 방사선 투시기를 이용해 X-ray 영상을 확인해야 했다. 하지만 이 플랫폼을 활용하면 수술 부위에 기구 삽입 위치를 바로 오버레이 시켜 기존의 척추 투시법을 대체할 수 있어, 환자와 의료진이 방사선에 노출되는 것을 획기적으로 줄일 수 있다는 점 또한 장점이다.

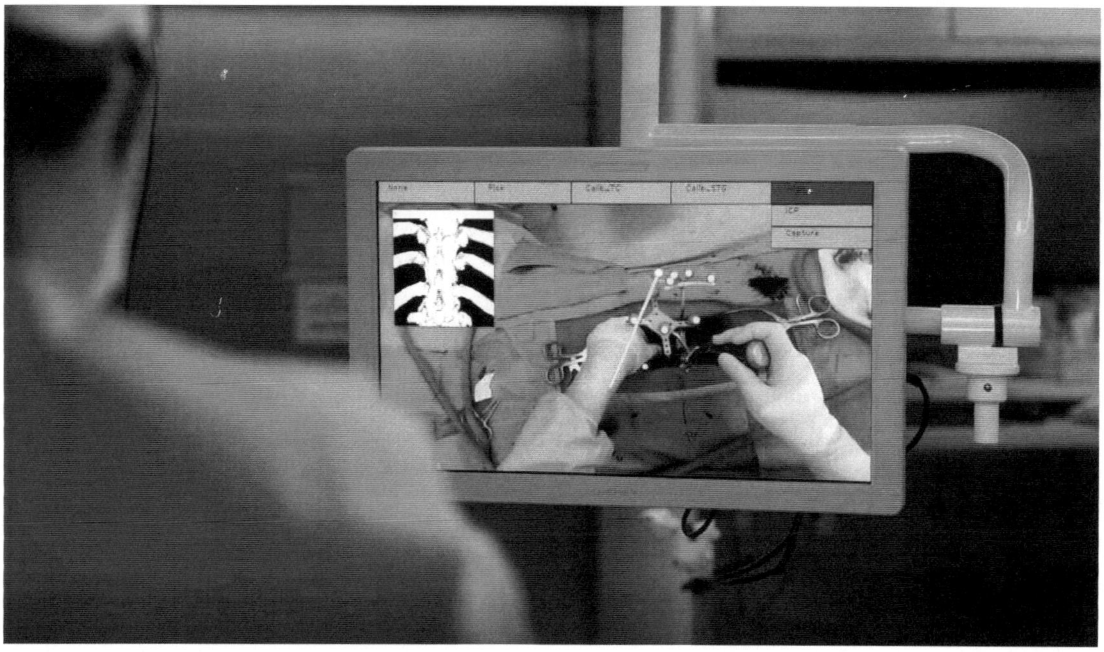

[그림 8] 증강현실 척추수술 플랫폼

7) 증강현실(AR)기술 적용한 척추수술 플랫폼 개발, 의사신문, 2021.01.12

⑤ 수술 내비게이션용 증강현실 플랫폼 'MEDIP PRO AR'

인공지능 의료영상 플랫폼 및 3D응용 솔루션 기업인 메디컬아이피가 개발한 MEDIP PRO AR은 증강현실 기술을 통해 외과적 중재술 또는 수술 시 피부, 뼈, 뇌 내부 기관의 위치, 크기 등의 정보를 비침습적으로 안내할 수 있는 플랫폼으로, 의료 소프트웨어 MEDIP PRO를 활용해 인공지능 기반의 디지털 트윈 기술로 구현한 환자의 해부학 구조물들을 AR 기술로 확장시킨 것이다. 이를 통해 의료진은 증강현실 기술로 구현된 실제 환자의 장기 및 병변을 육안으로 확인하며 보다 효과적으로 수술 경로, 위치 등을 결정할 수 있다.8)

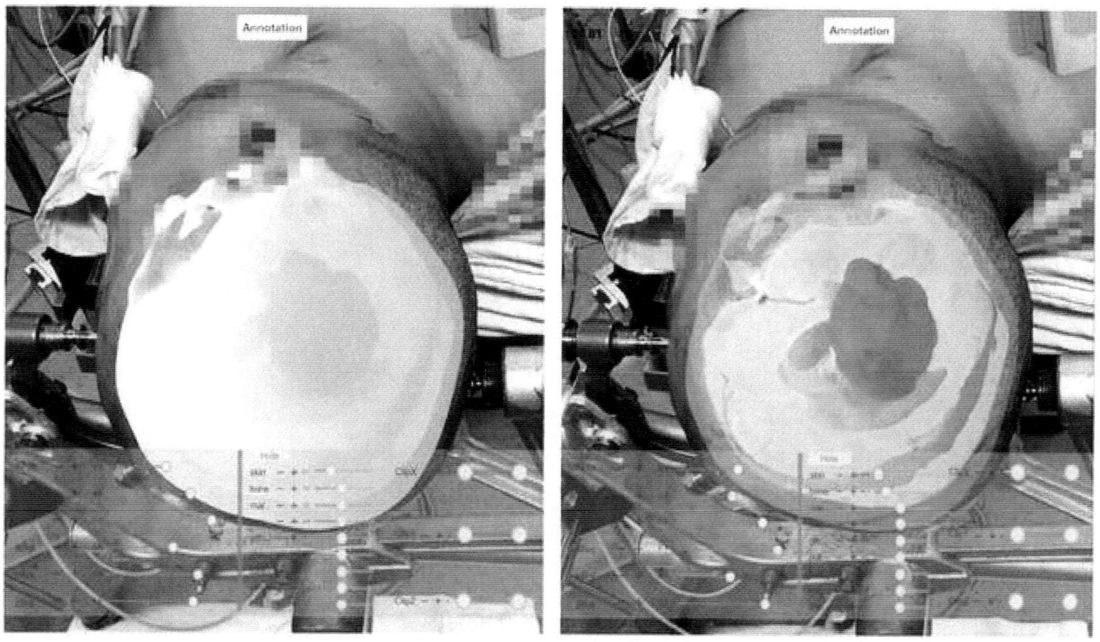

[그림 9] MEDIP PRO AR

8) 메디컬아이피, '의료 메타버스' 실현 AR 기술 식약처 인증, 메디게이트, 2022.02.25

2) 교육분야

① 구글의 AR 교육 앱 Expeditions[9)]

[그림 10] 구글 Expeditions

Google Expeditions는 교사와 학생이 1,000개 이상의 가상 현실(VR)과 100개의 증강 현실(AR) 투어를 통해 세계를 탐험할 수 있는 몰입형 교육 앱이다.

VR 및 AR을 사용하면 교사가 더 이상 교실 공간의 제약을 받지 않게 된다. 즉, VR을 통해 전 세계를 가상으로 탐색할 수 있으며 AR을 통해서는 추상적인 개념에 생명을 불어넣을 수 있으므로, 교사가 360도 파노라마 장면과 3D 물체를 활용하여 학생을 안내하면서 흥미로운 장소와 유물을 보여줄 수 있다.

이처럼 AR을 활용하면 학생들이 새로운 방식으로 정보를 시각화 할 수 있어, 정보를 습득하는 능력을 향상시킬 수 있으며, 막연히 추상적인 개념을 이해하기가 더욱 쉬워진다.

9) 구글 홈페이지

② 유아 교육 AR 어플리케이션 Wonderscope[10]

[11]

[그림 11] 원더스코프

과거에는 책 등의 종이 인쇄를 통해 스토리를 고객에게 전달하였지만, 지금은 종이책보다는 스마트 디바이스를 통해 콘텐츠를 즐기고자 하는 사람들이 증가하면서, 인쇄를 기반으로 한 출판사는 많은 어려움을 겪고 있으며, 이제는 출판업의 본질을 인쇄가 아닌 진정한 스토리를 퍼블링싱 한다는 개념으로 인쇄물이 아닌 다른 형태로 제공하는 기업들이 속속 늘어나고 있다.

위드인 언리미티드(Within Unlimited)가 출시한 원더스코프(Wonderscope)는 동화를 증강현실로 구현해주는 어플리케이션이다. 사용자는 스마트폰 앱을 실행한 후 동화 등의 이야기를 선택하면 가상의 객체가 나타나 스토리를 전개하는데, 음악과 자막으로 보여지며 객체를 터치하면 그 객체와 상호 작용할 수 있다.

10) 주간 기술 동향, 정보통신기술진흥센터, 2018.12.12
11) 종이책 대신 증강현실...이미 와 있는 미래출판, 테크플러스 블로그, 20218.12.17

③ **교육용 AR 장난감 Merge Cube**[12)]

[그림 12] 머지큐브

머지큐브(Merge Cube)는 가상현실 고글 제작사인 머지VR(Merge VR)이 선보인 증강현실 장난감으로, 언뜻 보면 평범한 상자로 보인다. 하지만 증강현실 앱을 이용해 이 큐브를 인식하게 하면 화면에 나오는 상자가 대화식으로 변화한다. 이를 통해 미니 게임이나 펫을 키우고 혹은 외계인과 전투를 하거나 해부학, 태양계 행성의 자전이나 공전 등을 가상으로 탐험하면서 배우는 등 게임이나 교육 등 다방면에 활용할 수 있다.

사용자는 큐브 자체를 하나의 콘트롤러로 활용해, VR게임 안에서 보다 직관적이고 빠른 조작이 가능하다. 예를 들어 VR 비행 슈팅 게임의 경우, 360도 회전이나 양방향으로 기체를 기울이는 등의 액션을 손으로 직접 느끼면서 플레이할 수 있다.

이와 함께 AR 기술로 각 면마다 새겨진 마커를 인식, 큐브 표면 위에 다양한 오브젝트들을 구현할 수도 있다. 이를 통해 '마인크래프트'와 머지 큐브의 결합을 통해 큐브 위에 가상의 폴리곤 세상을 구현하거나, 정육면체를 기울여 공굴리기 게임도 즐길 수 있다. 또한 큐브 전체를 하나의 마커로 활용, 큐브 위로 행성이나 인체 등 다양한 오브젝트를 구현하는 일반적인 AR 기술에도 적용이 가능하다.

특히 '손 안의 홀로그램'이라는 별칭답게 큐브를 통해 하나의 가상 현실을 경험할 수 있어 눈길을 끈다. 마구 흔들면 눈이 내리는 '스노우볼'을 보는 듯한 신기한 경험이 가능하며, 큐브를 들고 좌우로 움직이면 마치 하나의 정육면체 유리창처럼 시시각각 변하는 배경도 감상할 수 있다.[13)]

---

12) 게임·교육도 거뜬…증강현실 장난감, 김재희, 벤처스퀘어, 2017.08.28
13) 내 손 안의 AR세상 … 큐브형 콘트롤러 '머지 큐브' 눈길, 정우준, VRN, 2017.08.04

④ 증강현실을 이용한 코딩교육 및 역사교육 시스템

에듀테크 기업인 ㈜코딩앤플레이는 '증강현실 기술을 활용한 코딩교육 및 역사교육 시스템 개발'의 실증을 성공적으로 마무리했다. ㈜코딩앤플레이가 개발한 프로그램은 '과학기술정보통신부'와 '대구시'가 지원한 '2021년 5G 기반 AR, MR 콘텐츠 개발 및 실증 사업'의 일환으로 개발한 스마트 교육 프로그램이다.

실증에서는 먼저 사회 과목에서는 삼국시대 역사와 관련해, 코딩앤플레이에서 제공한 태블릿과 스마트 교육 프로그램 'AR 코딩 교육 콘텐츠'를 활용하여 삼국 시대의 사건들을 직접 코딩으로 풀어보는 시간을 가졌다. 아울러 실과 과목의 코딩 수업 시간에서 학생들은 스마트 교육 프로그램 'AR 코딩 교육 콘텐츠'를 통해 학생 본인이 직접 코딩 명령을 입력하고 역사적 사건을 풀어가는 방식이 마치 게임을 하는 것처럼 수업이 진행됐다.[14]

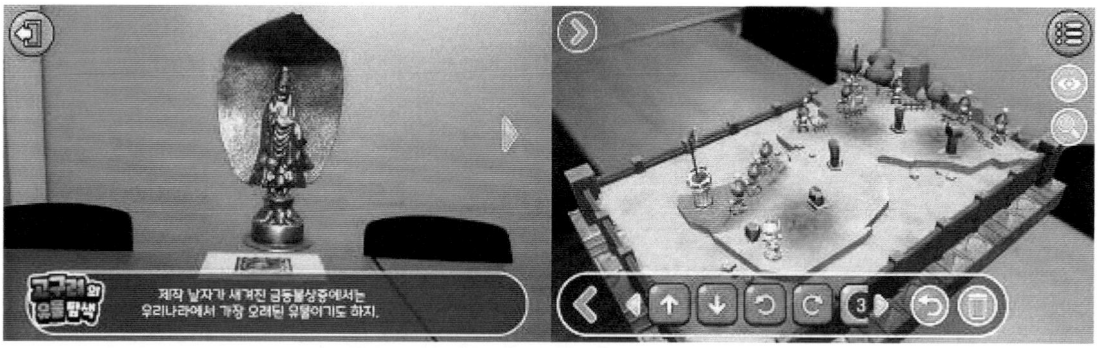

[그림 13] 코딩앤플레이 역사교육 시스템

㈜코딩앤플레이는 2021년 비대면 스타트업 육성사업에 선정되어 증강현실(AR) 기술을 기반으로 디지털 온라인상에서 코딩교육을 받을 수 있는 코딩교육 앱 시리즈 '코그리'를 개발하기도 했다. '코그리' 앱 시리즈는 코딩 실습교육을 위한 코딩교육 전용 교재 및 교구가 필요했던 기존 오프라인 교육의 디지털 온라인화의 어려움을 증강현실(AR) 기술을 활용한 앱으로 구현해 장소와 시간의 제약 없이 코딩교육이 가능하다.

현재 코딩앤플레이 '코그리' 앱 시리즈는 현재 Preschool AR, Let's Code, Friends, The Korean History in AR의 3종으로 구성되어 있고 향후 온라인 코딩교육 플랫폼 서비스를 완성할 예정이다.[15]

14) 코딩앤플레이, 증강현실(AR)기술을 활용한 '융합교육 콘텐츠' 실증 성황리 마무리, 비욘드포스트, 2021.11.19
15) 코딩앤플레이 '코그리', 아랍권 교육 시장 진출에 앞장, 서울경제, 2022.02.10

⑤ 자동차 원리 교육 콘텐츠[16)]

원광대학교는 ENER-G사업단이 4차 산업혁명시대에 부합하는 혁신학습방법 제공을 위해 하이브리드 자동차 원리를 설명하는 AR(증강현실) 교육 콘텐츠를 제작했다. 원광대 ENER-G사업단은 현대자동차로부터 하이브리드 자동차를 교육용으로 기증받아 AR콘텐츠를 제작했으며, 교육용 자동차에 부착된 QR코드를 인식한 후 휴대폰(안드로이드 운영체제)에 해당 프로그램을 설치하면 누구나 손쉽게 이용할 수 있도록 했다.

[그림 14] 원광대 ENER-G사업단의 증강현실 교육 콘텐츠

ENER-G사업단은 AR콘텐츠뿐 아니라 전공이론을 적용하면서 설계를 발전시켜 나가는 진화형 종합설계 '거꾸로 캡스톤'과 학생들이 가상기업에 입사해 직무체험을 경험하고, 산업체 전문가 멘토링을 받는 '가상기업' 등 혁신적 학습방법을 새롭게 도입해 대학 내 혁신교육방법 확산을 위한 노력하고 있다.

16) 원광대 ENER-G사업단, 증강현실 교육 콘텐츠 제작, 대학저널, 2021.04.30

3) 게임분야

① 나이언틱의 해리포터:마법사 연합[17]

18)

[그림 15] 해리포터 마법사 연합 게임화면

해리포터: 마법사 연합은 포켓몬GO 제작사인 나이언틱의 차기작으로, 해리포터 IP를 활용하여 워너브라더스 게임즈(WB Games)와 함께 제작했다.

게임의 기본 방식은 포켓몬GO와 마찬가지로 GPS 기반의 증강현실 기술을 활용하여 특정 위치에 가상 이미지를 보여주는 형태다. 많은 팬을 보유한 해리포터 IP를 기반으로 한다는 점에서 기대를 모았으나 이전 흥행작 포켓몬GO와는 다른 부진한 성적을 보이고 있다.

이러한 흥행부진의 이유로는 1) 해리포터 소설의 완결로 인한 IP의 제한성, 2) 게임 효과 측면의 아쉬움, 3) 복잡한 게임 스토리 구성 등이 꼽힌다. 해리포터: 마법사 연합의 초반 흥행부진은 향후 AR 게임시장에 대한 비관적 전망으로 이어지고 있다.

하지만 현재 대중의 관심도가 다시 상승하는 시점이며 관련 제약요인의 해결이 기대되고 있는 상황이기 때문에 지나치게 비관적인 판단을 내리기엔 이르다고 판단된다.

17) VR/AR, 비현실의 현실화, 삼성증권, 2019.07.12
18) [리뷰] AR-GPS와는 다소 어울리지 않았던, '해리포터: 마법사연합', 정진성, Gameple, 2019.07.04

② 마이크로소프트의 마인프래프트 어스[19]

[그림 16] 마인크래프트 어스

20)

마인크래프트 어스의 원작은 모장의 마인크래프트다. 마인크래프트는 2009년 개발된 1인칭 액션어드벤처 게임으로, 전 세계에서 가장 많이 팔린 비디오 게임이다. 2019년 5월까지 1억 7,600만 건 이상 판매되었고 월간 9,100만 명 가량이 플레이하고 있다.

이 게임은 2014년 마이크로소프트가 2조 5,000억 원에 모장을 인수한 이후, 처음으로 출시되는 작품이기 때문에 많은 관심을 받고 있다. 원작의 게임 방식에 증강현실을 활용한 가상의 몬스터를 사냥하고 블록을 수집한다. 그리고 해당 블록으로 현실세계와 결합해 새로운 건축물 혹은 대상을 만들어 내는 방식이다.

마이크로소프트가 매년 마인크래프트 유저의 축제인 마인콘을 개최할 만큼 마인크래프트는 큰 인기를 누려왔다. 마인크래프트는 증강현실과 현실세계를 혼합해 재창조하는 점이 마이크로소프트가 생각하는 혼합현실과 일치한다. 마인크래프트가 증강현실 게임에 새로운 장르를 가져올 수 있을 것으로 기대되는 이유다.

19) VR/AR, 비현실의 현실화, 삼성증권, 2019.07.12
20) 마인크래프트 어스, 10월중 순차 출시된다, 이석원, Tech Recipe, 2019.10.01

③ **백제박물관 유적탐방 게임**[21)]

한성백제박물관 소속 몽촌역사관은 서울시 송파구 올림픽공원 내 몽촌토성의 유적 정보를 증강현실 기술로 제공하는 증강현실(AR) 미션게임 '출동! 몽촌토성 꾸러기 수비대'를 개시했다. 개발된 앱은 체험자가 백제시대로 떠나 몽촌토성을 지키는 내용이다.

22)

[그림 17] 출동! 몽촌토성 꾸러기 수비대

개발된 앱은 코로나19 이후 비대면 시대를 맞아 기존의 단체 유적탐방 체험학습을 대신할 비대면 콘텐츠 프로그램이다. 이 앱 서비스는 증강현실(AR) 기술을 기반으로 위성위치확인시스템(GPS)을 활용해, 스마트폰을 가진 사람은 누구나 몽촌토성을 혼자 답사하며 미션게임을 통해 재미있게 유적 관련 역사를 탐방할 수 있다.

앱 내에 저장된 도감 기능으로 몽촌토성 유적 정보를 반복 학습할 수 있으며, AR 카메라 촬영으로 백제 사람이 되어 사진을 남기는 즐거움을 누릴 수 있다. 각 유적에서 미션을 완료하면 유적 정보가 적힌 카드를 얻게 된다. 최종적으로 미션을 완료하고 10개의 유적카드를 모두 모으면, 고구려 군사로부터 백제 마을 사람들을 지킬 수 있다. 체험이 끝난 후에도 도감 기능을 통해 언제 어디서나 재탐방이 가능하다. 또한, 얼굴을 인식하는 AR 카메라로 백제 사람이 되어 사진을 찍을 수도 있다. 체험자들은 고증된 백제시대의 공주, 귀족, 장군, 평민 등 캐릭터를 선택하고, 자신의 얼굴을 인식시켜서 백제 마을 사람들과 함께 사진을 남길 수 있다.

---

21) 한성백제박물관, AR 미션게임으로 몽촌토성 유적탐방… 스마트앱 서비스, 서울특별시 뉴스, 2021.04.30
22) 서울특별시 홈페이지

④ **트랜스포머: 헤비메탈**[23][24]

포켓몬고 개발사인 나이언틱은 다시 한번 포켓몬 열풍을 기대하며 하스브로 및 토미와의 협업을 통해 증강현실 모바일 게임 ‘트랜스포머: 헤비 메탈’을 발표했다. 이 작품은 트랜스포머 프랜차이즈 인기 캐릭터인 범블비 등이 증강현실 기술을 통해 현실에 등장하며, 거대한 로봇과의 상호작용과 짜릿한 턴 기반 배틀을 경험할 수 있다. 악의 집단인 디셉티콘에 맞서는데 필요한 자원을 찾기 위해 지구 전역에 숨겨진 장소를 탐사하고, 혼자서 혹은 친구들과 함께 디셉티콘과 배틀을 펼치게 된다.

[그림 18] 트랜스포머: 헤비메탈

특히, ‘트랜스포머: 헤비메탈’은 나이언틱 Lightship 플랫폼을 활용해 제작됐으며, Lightship ARDK의 개발 툴을 이용해 위치와 주변 환경, 다중 공유 뷰 등을 활용해 완전 새로운 유형의 증강현실 경험을 창조할 수 있다.

---

23) 다시 AR게임 열풍?...티니팡·트랜스포머, 차세대 포켓몬고 '찜', 녹색경제신문, 2021.06.16
24) 나이언틱, 하스브로와 트랜스포머: 헤비메탈 출시 예정, 베타뉴스, 2021.06.15

⑤ **캐치! 티니핑 AR**

'캐치! 티니핑 AR'은 원작 애니메이션 '캐치! 티니핑 AR'의 세계관에 최신의 AR기술과 수집요소를 접목한 캐쥬얼 롤플레잉 게임으로 AR 기반의 인터랙티브 콘텐츠 제작 기술을 보유한 애니펜이 개발을 맡았다. 출시 후 현재까지 장기 흥행을 이어가고 있는 '미니특공대 월드'를 제작한 바 있는 애니펜은 이번 게임을 통해 한층 더 강화된 그래픽과 인터랙션 인터페이스를 선보이며 원작의 재미를 AR 플레이로 확장했다.

[그림 19] 캐치! 티니핑 AR

'캐치! 티니핑 AR'은 전 세계적으로 관심을 끌었던 게임 '포켓몬GO' 처럼 현실 공간 속에 숨어 있는 티니핑들을 AR 화면으로 수집하고 컬렉션을 늘려가는 방식으로 이뤄져 있다. 수집한 티니핑들이 이용자의 컨트롤에 따라 반응하며 아기자기하고 귀여운 모션으로 움직이는 등 다양한 재미요소를 포함하고 있어 주요 타깃인 4~7세 아이들에게 다양한 놀이 경험을 제공할 것으로 기대된다.[25]

25) 에스에이엠지 X 애니펜, '캐치! 티니핑 AR' 게임 21일 출시 예고, thisisgame.com, 2021.06.16

4) 방송. 광고 분야

① 증강현실을 이용한 1인 방송 소통 서비스 티스플레이[26]

[그림 20] 티스플레이

트리니들이 증강현실 기술을 이용한 1인 방송 소통 서비스 티스플레이 베타를 출시했다. 티스플레이는 1인 방송에 실시간 증강현실 효과를 보여주는 서비스로, AI 기술로 특수 제작한 스티커에 이미지나 영상을 노출할 수 있다.

크리에이터는 스티커를 촬영 현장에 붙이고 원하는 영상을 실시간으로 방송에 보여줄 수 있으며, 시청자는 크리에이터를 후원하고 원하는 영상을 방송에 노출시킬 수 있다.

트리니들 대표는 증강현실 기술을 적용해 크리에이터와 시청자에게 새로운 소통 경험을 제공하겠다며 앞으로 다양한 증강현실 기술을 1인 방송에 적용할 계획이라고 밝혔다.

---

26) AR기술 이용한 1인 방송 소통 서비스 나왔다, 이석원, 벤처스퀘어, 2020.05.04

② 실시간 AR 방송 플랫폼 아이튜버[27)]

[그림 21] 증강현실 영상 제작 솔루션 아이튜버

뉴미디어 전문기업 두리번은 3D 버츄얼 캐릭터와 실시간 증강현실(AR) 방송이 가능한 영상 제작 솔루션 '아이튜버'(i-TUBER)를 공개하고, 본격적인 버츄얼 유튜버 콘텐츠 제작사업을 전개한다고 발표했다.

두리번의 자체기술로 개발된 아이튜버 시스템은 지리적 한계를 벗어나 가상 캐릭터와 현실 출연자가 소통하는 리얼타임 콘텐츠 솔루션으로, 2019년 개최된 가상현실 박람회 '서울 VR·AR 엑스포 2019' 현장에서 라이브 방송을 시연하면서 업계의 큰 호응을 얻어냈다.

두리번은 AR 뎁스 인식 기술과 다중 카메라 인식 기술, 이원방송 시스템 등 관련 핵심 기술의 고도화를 완료하고, 국내 주요 방송국 및 미디어 플랫폼 크리에이터들과의 콘텐츠 제작 협업을 진행한다는 계획을 가지고 있다.

27) 두리번, 실시간 AR방송 플랫폼 '아이튜버' 공개, 플래텀, 2019.07.15

5) 패션·뷰티 분야

① ZARA AR[28]

[29]

[그림 22] ZARA AR

자라(ZARA)는 2019년 2주 가량 국내 총 6개 매장에서 증강현실(AR) 경험을 선보였다. 자라의 증강현실 콘텐츠는 고객 맞춤형 경험을 제공하기 위해 개발됐으며, 'ZARA AR' 앱을 통해 자라 매장의 쇼윈도, 계산대, 온라인 주문 배송용 상자 등 총 세 곳에서 경험할 수 있다.

ZARA AR앱을 켜고 앱 전용 표지에 스마트폰 카메라를 비추면 화면에 모델 레아 줄리앙(Léa Julian)과 프랜 서머스(Fran Summers)가 등장해 약 7~12초 동안 자연스럽게 포즈를 취하고 걸어 다닌다. ZARA AR 앱을 통해 제공하는 12가지 버전의 역동적인 증강현실 영상은170평방미터(약 51평)의 면적에 68대의 촬영 카메라를 갖춘 세계 최대 규모의 홀로그램 촬영 시설에서 제작됐다.

증강현실 콘텐츠 에 등장하는 두 모델은 자연스럽게 포즈를 취하고 증강현실 공간 안에서 위치를 바꿔 움직이기도 하며, 자라의 리미티드 컬렉션인 'SS18 스튜디오 컬렉션'을 소개하고 서로 이야기를 나누기도 한다.

뿐만 아니라, ZARA AR 앱에서 볼 수 있는 모든 의상은 앱에서 클릭 한 번으로 구매하거나 매장에서 직접 구매할 수 있다. ZARA AR의 콘텐츠는 휴대 기기의 종류와 사양에 관계없이 현실적인 경험을 제공하도록 구성되어있다.

28) 자라, 증강현실(AR) 선보인다, 강채원, 패션서울, 2018.04.14
29) 디지털 마케팅 코리아

② 워너비의 워너 킥스(Wanna Kicks)[30]

31)

[그림 23] 워너 킥스

AR 커머스 기술을 개발하는 스타트업 워너비(Wannaby)는 온라인상에서 자신에게 맞는 운동화를 찾을 수 있는 워너 킥스(Wanna Kicks) 앱을 출시했다. 사용자는 어플을 켜고 스마트폰 카메라를 발에 가져다 대면 자동으로 신발을 신은 모습을 볼 수 있으며, 각도를 달리해도 여전히 신발을 신은 옆모습과 뒷모습을 볼 수 있다.[32]

또한, 최근 구찌가 iOS 앱에 AR(증강현실) 기능을 추가한 운동화 피팅 서비스를 선보였다. 구찌 앱에서 원하는 운동화 스타일을 고른 뒤 스마트폰 카메라에 발을 비추면 선택한 신발을 가상으로 착용한 모습이 화면에 나타난다.

구찌는 AR 기술 응용 스타트업 워너비를 통해 트라이온(Try-on) 기능을 개발했다. 워너비의 워너 킥스 앱에서는 아디다스, 나이키, 올버드와 같은 브랜드의 운동화를 가상으로 체험할 수 있다.[33]

---

30) 자라, 증강현실(AR) 선보인다, 강채원, 패션서울, 2018.04.14
31) neoviso
32) 사이렌 24 공식 블로그
33) "구찌 신발, 집에서 신어보세요"… 명품 브랜드 마케팅, AR을 입다, 박소정, 뉴데일리경제, 2019.07.11

③ 아모레스토어[34)]

아모레퍼시픽은 롯데백화점 청량리점에 체험형 뷰티 매장 '아모레스토어'를 오픈해 증강 현실을 통해 실험적인 상황을 실제 상황으로 구현했다. 이는 개방형 구조의 뷰티바인 '언택트존'을 구성해 고객들이 비대면으로 자유롭게 제품 테스트를 할 수 있도록 한 것이다.

해당 언택트존에서는 고객이 얼굴에 직접 테스트를 하지 않아도 자신에게 잘 어울리는지 확인해 볼 수 있는 증강현실 메이크업 체험 서비스가 제공된다. 고객은 매장 내 디바이스에 얼굴을 촬영한 후 화면에서 제품을 선택하면 화면 속 자신의 얼굴에 메이크업이 적용되는 시스템으로 다양한 제품을 자유자재로 테스트해 볼 수 있다.

[그림 24] 아모레스토어 롯데백화점 청량리점 전경

34) 뷰티업계, 직접 발라보지 않아도 발라본 느낌....증강 현실(AR) 기술에 주목, 베이비타임즈, 2021.06.09

④ **세포라(Sephora) Virtual Artist**[35]

화장품 전문 브랜드 세포라(Sephora)는 증강현실기업인 모디페이스(ModiFace)의 기술을 활용하여 증강현실앱인 'Virtual Artist'를 통해 다양한 립스틱을 바를 수 있으며, 마음에 드는 제품은 바로 장바구니에 담아 구매할 수 있다.

Sephora의 증강현실앱은 고객의 제품에 대한 체험 및 경험을 증대시켜주는 역할을 하고 있다. Sephora의 Virtual Artist 앱은 2016년 출시 이후 8주만에 이미 4,500만명이 증강현실 기능을 활용했다.

[그림 25] Sephora 'Virtual Artist'

35) 화장품 브랜드 증강현실을 활용한 제품 체험 및 경험 증대, Digital Transformation

⑤ **티커(Ticker)**[36]

차세대 뷰티테크 기업 ㈜타키온비앤티는 증강현실 기반의 뷰티 라이프 플랫폼 '티커(Ticker)' 앱을 출시했다. '티커'는 증강현실 카메라를 기반으로 그룹 영상통화, 소셜 네트워크, 이커머스 등 융합 기술을 지원하는 통합 플랫폼이다.

기존 뷰티 카메라 앱과의 차별점은 가상의 컨텐츠가 아닌, 실존하는 코스메틱 제품을 AR로 체험해볼 수 있다는 점이다. 유저는 자신의 피부 톤과 취향에 맞는 실제품을 테스트하고 사진과 영상을 촬영, 편집할 수 있다. 또한, 타키온비앤티는 글로벌 뷰티 브랜드 '안나수이'와 '폴앤조 보떼'를 전개하는 ㈜이데와코즈와 기술공급 계약을 체결했다.

[그림 26] 티커

타키온비앤티는 '안나수이 코스메틱(Anna Sui Cosmetics)'과 '폴앤조 보떼(Paul & Joe Beaute)'의 대표 제품을 티커(Ticker)에서 증강현실 컨텐츠로 선보이고 기타 제휴 서비스를 지원한다는 방침이다. 티커의 유저는 '안나수이'와 '폴앤조 보떼'의 제품을 가상으로 체험하고 원스톱으로 구매까지 할 수 있다.

---

36) IT업계, 증강현실(AR) 기반 다양한 서비스 '눈길', 핀테크경제신문, 2021.11.05

6) 기타분야

가) 내비게이션 기술

① 현대자동차 증강현실 내비게이션[37)]

[그림 27] 현대자동차 증강현실 내비게이션

현대기아자동차는 라스베이거스 가전제품 박람회 'CES2019'에서 세계 최초로 AR 증강현실 내비게이션(이하 AR 내비게이션)을 선보였다. AR 내비게이션이란 자동차의 속도, 길 안내 등 기본적인 정보를 현실 도로에 혼합해 AR 홀로그램으로 제시하는 내비게이션으로, 제네시스 G80에 탑재된 AR 내비게이션은 해당 분야에서 독보적인 기술력을 자랑하는 스위스 기업 '웨어레이'와 현대기아자동차의 합작으로 완성되었다.

제네시스의 신규 모델인 GV80에 탑재된 AR 내비게이션은 전방에 부착된 카메라로 실시간 주행 영상을 찍어 인포테인먼트 화면에 재생하는데, 여기에 다양한 그래픽을 덧씌워 직관적인 길 안내 서비스를 제공하는 방식이다.

---

37) 내비 진화의 끝판 왕! AR 증강현실 내비게이션, 현대 앰앤소프트,

② **구글 맵스 AR**[38)]

[그림 28] 구글 맵스 AR

39)

웹 매핑 서비스 구글 맵스가 최근 구글 픽셀폰에 증강현실(AR) 네비게이션 기능을 선보였다. 사용자가 길을 잃었을 때, 구글 지도 앱을 열고 가고자 하는 방향으로 휴대폰의 카메라를 향하게 만들면 AR 탐색 기능이 우회전 또는 좌회전 화살표를 사용해 사용자에게 길을 알려준다.

구글 지도의 AR 기능은 스마트폰 카메라로 실제 거리의 모습을 볼 수 있기 때문에 사용자가 실시간으로 방향을 전환할 때 큰 도움이 된다. 구글 지도의 AR 기능은 사용자가 실외에 있을 때, 그리고 구글 스트리트 뷰로 커버가 가능한 지역에 있을 때만 작동한다. 그리고 스마트폰의 데이터 연결 상태가 양호해야 한다. 네비게이션 기능은 휴대폰의 카메라로 표지판과 주변 건물 등을 인식하는 방식으로 작동하기 때문에 조명이 약한 곳, 어두운 곳에서는 잘 작동하지 않을 수도 있다.

38) 구글 지도, AR 탐색 기능 선보이다, 강건호, AI타임스, 2019.05.21
39) editoy

③ 현대차그룹의 실내·외 AR 내비[40)]

현대차그룹이 증강현실 메타버스 기술을 활용해 차량용 실외 내비게이션뿐 아니라 실내 내비게이션까지 개발한다. 출발지부터 최종 목적지까지 끊김 없이 안내해 사용자 편의성을 높이는 게 목적이다. 서비스 구현을 위해 스마트폰 앱도 추가로 출시한다. 실내·외 통합 증강현실 내비 서비스 상용화 시점은 2024년으로 예상된다.

실내·외 통합 AR내비가 상용화하면 운전자는 AR 헤드업 디스플레이(HUD) 도움을 받아 주차장까지 이동하고, 스마트폰·태블릿 또는 스마트 글라스로 실내 최종 목적지까지 안내받을 수 있다. 길 안내에선 주요 상점 리뷰 등도 확인할 수 있다. 핵심 기술은 현실과 가상세계를 겹쳐 보이도록 돕는 '시각 측위 기술(VPS)'이다. 카메라가 비춘 공간을 인식하고 정밀지도와 접목해 사용자에 필요한 정보를 제공한다. 현대차는 지분 5.13%를 보유한 국내 AR 전문업체 맥스트와 협력한다.

현대차그룹은 사용자 도움을 받아 실내AR 지도를 업데이트한다. 사용자가 보내오는 시각 데이터로 업데이트 필요 지점을 파악하고 임무를 생성하는 방식이다. 카메라 촬영 미션 수행 사용자에게는 별도 크레딧을 제공해 참여를 독려한다. 향후 서드파티 개발자에게 공간지도 제작 도구를 배포해 실내 AR 지도 구축을 가속화할 것으로 예상된다.

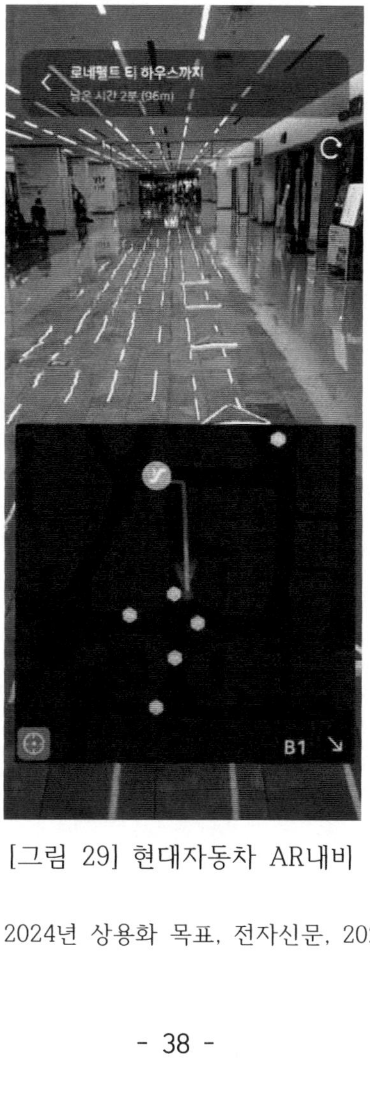

[그림 29] 현대자동차 AR내비

40) 현대차그룹, '실내·외 AR 내비' 2024년 상용화 목표, 전자신문, 2021.11.06

④ **실내 내비게이션**[41)]

구글은 2021년 3월 미국 시카고와 롱아일랜드, 로스앤젤레스, 뉴욕, 샌프란시스코, 새너제이, 시애틀을 포함한 일부 지역의 쇼핑몰에서 실내 AR 서비스 '라이브뷰'를 선보였다. 스마트폰 카메라 화면에 AR 신호를 띄워서 가야 할 방향을 표시해주는 서비스다. 사용자와 가까운 곳에 위치한 엘리베이터와 에스컬레이터, 탑승구, 수하물 찾는 곳, 체크인 카운터, 매표소, 화장실, 현금 자동 인출기(ATM) 등을 쉽게 찾을 수 있는 것이 특징이다.

[그림 30] 구글 라이브뷰

국내에선 네이버가 이와 유사한 서비스를 개발하고 있다. 네이버의 기술 연구 자회사 네이버랩스는 실외 AR 내비게이션을 테스트하는 영상을 공개했다. 영상에서는 카메라 기능이 활성화된 스마트폰에서 사용자를 특정 장소로 안내하기 위해 AR 기술로 가상의 안내표지판을 띄우는 장면이 나온다. 구글은 미국에서 관련 서비스를 시작했고, 네이버는 판교 현대백화점, 스타필드 코엑스몰, 강남역 등에서 AR 내비게이션을 테스트 중이다. 향후 이 기술은 배달을 위한 자율주행 로봇에 활용될 것으로 전망된다.

---

41) 'AR 탑재한 똑똑한 실내 내비게이션'... 네이버·구글, 매핑·위치 기술 개발 박차, 아주경제, 2021.04.04

나) 문화유산콘텐츠 전시

① 증강현실 국립공원, 스마트 탐방 파크 앱[42]

[그림 31] 설악산 토왕성폭포 물줄기 재현 증강현실 체험

2018년 불국사, 감은사지 등 경주 국립공원 문화재 복원 해설을 증강현실로 제공했던 공단은 2019년 설악산 토왕성 폭포의 사계와 물줄기, 한려해상 국립공원의 한산도 대첩을 증강현실로 구현했다.

설악산 토왕성폭포 증강현실은 수량이 적어 평소에는 흐르지 않는 폭포를 아름다운 사계절을 배경으로 해서 웅장한 물줄기가 흐르는 모습으로 구현했으며, 한려해상 증강현실은 한산도 앞바다를 배경으로 임진왜란 때 이순신 장군이 펼친 학익진 전법 등을 재현해 전투 모습을 실감나게 체험할 수 있도록 했다.

또한, 증강현실 기술을 활용한 기념사진 촬영이 가능하며 탐방 정보, 탐방 해설, 반달가슴곰 등 깃대종(특정 지역 생태계를 대표하는 동·식물) 수집 게임 등의 서비스도 제공하고 이외에도 외국인 탐방객이 국립공원을 쉽게 이해할 수 있도록 중문과 일문 해설 기능도 추가되었다.

국립공원공단 탐방복지처장은 2020년에는 북한산, 계룡산 등 다른 국립공원으로 스마트탐방 소재를 확대하겠다고 발표했다.

42) "증강현실로 한산대첩 체험"…국립공원 앱 서비스 확대, 이광철, 연합뉴스, 2019.11.24

다) 증강현실 동물원[43)]

[그림 32] 점프 AR 앱을 통해 소환된 대왕 고양이

동물원은 우리에게 친숙한 공간이지만, 동물학대라는 가장 큰 문제점이 존재하는 공간이기도 하다. 따라서 최근 증강현실을 이용한 동물원이 새롭게 등장했다.

최근 SK텔레콤은 서울 잠실 올림픽공원에 증강현실(AR) 동물원을 조성했다. 올림픽공원과 여의도공원에서 스마트폰만 있으면 자이언트 캣, 자이언트 비룡, 레서판다, 웰시코기 등 귀여운 동물의 애교와 몸짓도 볼 수 있고 사진도 함께 찍을 수 있다.

또 SK텔레콤은 실제 동물원처럼 울타리를 구성해 그 곳에서 AR 미니동물을 찾을 수 있는 'AR동물 체험존'을 마련했다. 5G 쿨파크 안에는 아메리칸 쇼트헤어와 레서판다 외에도 '웰시코기', '알파카', '아기비룡' 등이 있다. 미니동물은 공원 밖에서도 어디서든 소환이 가능하며, 이를 통해 레서판다가 눈 앞에서 두 발로 일어나 발차기를 하거나 '웰시코기'가 짧은 다리로 비보잉 춤을 선보이는 등 다양하고 귀여운 표정과 애교를 감상할 수 있다.

SK텔레콤 5GX서비스사업단장은 AR 동물원 서비스에서 현재 동물 외에도 라쿤, 호랑이, 판다, 여우 등도 곧 만나볼 수 있을 것이며 또, 미국 NBC 유니버셜과 협업해 쥬라기월드의 공룡도 동물에 추가할 계획이라고 밝혔다. 한편 SK텔레콤은 AR동물원을 서울 여의도공원, 올림픽공원을 시작으로 대전 보라매공원, 대구 두류공원, 광주 5.18공원 등 전국 단위로 확대할 계획이다.

43) [르포] AR 동물원 가보니...스마트폰 비추자 드래곤이 날아다니네, 이경탁, 조선비즈, 2019.08.18

03

증강현실 시장 동향

3. 증강현실 시장 동향

가. 국외 시장 동향

시장 조사 기관인 Statista의 보고서에 따르면 2017년부터 AR 시장 규모가 연 평균 약 60.3%씩 성장하여 2025년에는 약 1,982억 달러의 글로벌 시장이 형성될 것으로 기대하고 있다. 이에 따라 AR 기기 물량도 연 평균 약 42%씩 증가할 것으로 분석되고 있다.44)

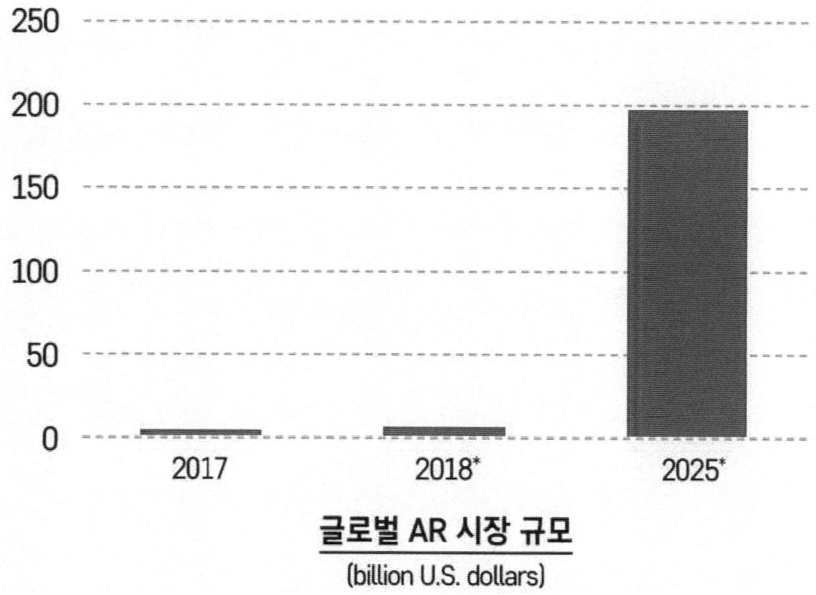

[그림 34] 글로벌 증강현실 시장 규모

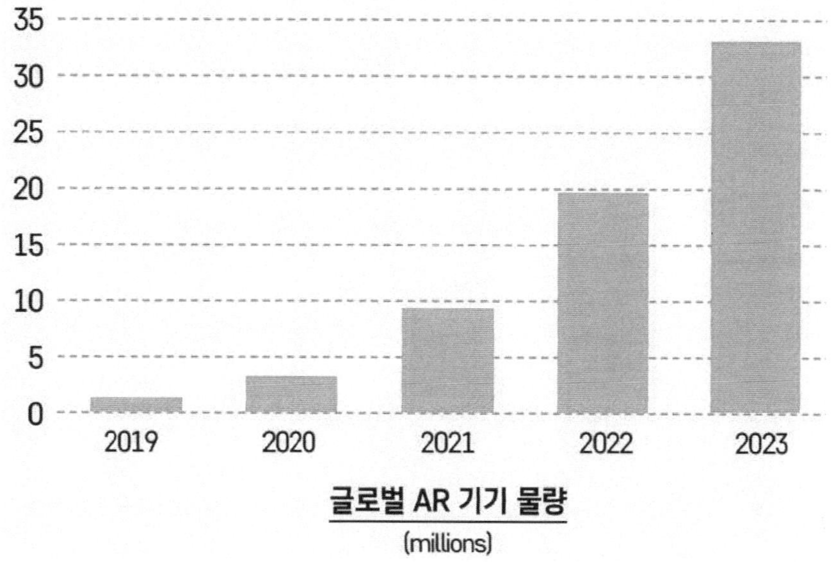

[그림 35] 글로벌 증강현실 기기 물량 동향과 예측

44) 다변화하고 있는 증강현실 기기 산업, 김향규, 2019.10

마켓앤마켓은 전 세계 증강현실 시장이 2019년 107억 달러에서 연평균 성장률 46.6%로 증가하여, 2024년에는 727억 달러에 이를 것으로 전망했다. 45)

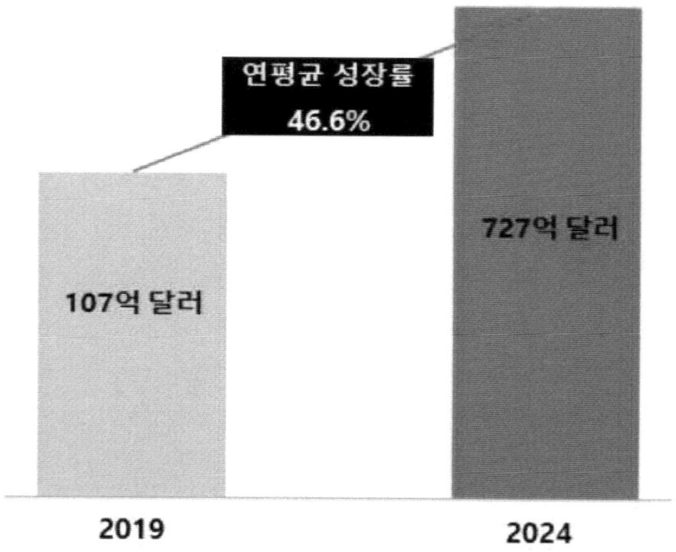

[그림 36] 글로벌 증강 현실(AR) 시장 규모 및 전망

AR 산업은 VR 산업 대비 가파른 성장곡선을 그릴 것으로 기대되고 있다. Digi Capital이 전망한 2023년 AR 산업 규모는 700억~750억 달러로 VR 산업(100억~150억 달러) 대비 5배 가량 높다. 이는 현재 대중화 및 발전 정도에서 VR이 앞서는 것과는 정반대의 결과다.

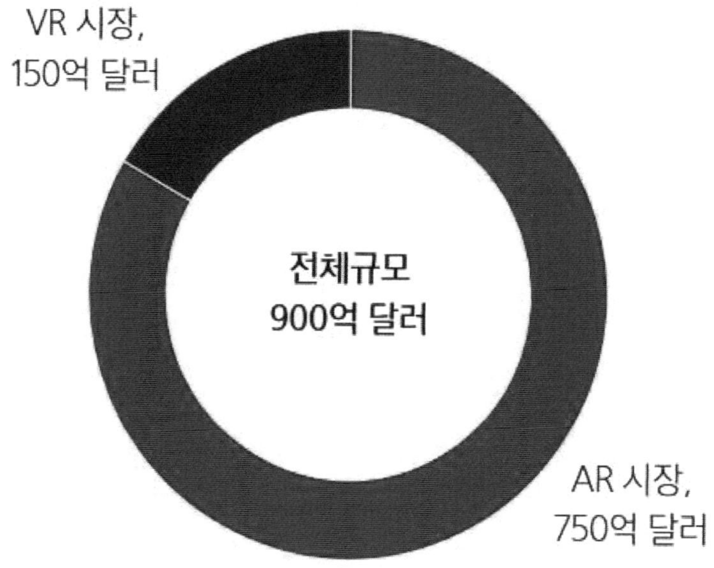

[그림 37] 2023년 VR/AR 시장 규모 전망

45) 증강 현실 시장, 글로벌 시장동향보고서, 연구개발특구진흥재단, 2021.03

이러한 전망의 바탕에는 여러 이유들이 있지만, 그 중 가장 큰 이유는 현실세계와의 차단 유무다. 폐쇄형/몰입형인 VR 하드웨어와 개방형인 AR 하드웨어의 구조적인 차이가 적용 산업/분야의 차이로 연결되는데, 이를 좀 더 자세히 살펴보도록 하자.

먼저, VR HMD는 완전한 가상 현실 구현 및 경험을 위해서 디스플레이 전체에 이미지를 투사한다. 디스플레이가 시야를 완전히 차단하는 형태이기 때문에 사용자 시야는 현실의 실제 시야와 연동되지 못한다. VR 산업이 게임 및 미디어 부문을 시작으로 교육과 리테일 분야로 확장이 전망되는 이유도 현실 세계와 차단되어 몰입감 측면에서 유리하기 때문이다.

반대로 AR 기술은 사용자의 현실을 보는 시야 안에 증강현실 이미지를 투사한다. 따라서 AR HMD인 스마트 글래스는 공장, 건설현장, 창고, 사무실 등 실제 업무현장에서 활용도가 높다. 현재 주요 스마트 글래스 제작사가 기업용 제품 출시로 방향을 선회하는 것도 해당 지점을 타겟으로 삼는 것이다. 대표적으로 연상되는 AR 기술의 업무현장 활용은 적용 사례의 일부분이다. 실제적으로 미 육군에서는 훈련용으로 AR 글래스를 적용하고 있으며 교육분야에서 교보재로 AR Sandbox 활용이 증가하고 있다.

국내에서도 현대차가 국내 증강현실 벤처기업인 MAXST와의 협업을 통해 AR 기반 매뉴얼 제작에 활용하고 있다. 결국 적용되는 산업 차이에 따른 시장 성장 가능성은 AR이 더 크다고 판단되는 것이다.[46)]
글로벌 시장에서 VR·AR의 수요는 공공 영역보다는 상업적 영역이 주도할 것으로 보이는데, 2020년에는 상업적 영역의 비중이 전체 시장에서 50% 미만이지만 2023년에는 68.8%까지 성장할 것으로 예측된다.

상업적 영역 중 산업 부문은 소매업 및 제조업이 시장을 주도할 것으로 보이며, 소비자 부문은 게임과 동영상 시청 부문의 비중이 클 것으로 예측된다. 현재는 VR이 AR보다는 시장 수요의 비중이 크지만 AR의 성장세가 훨씬 크기 때문에, 2023년에는 VR 시장을 넘어설 것으로 예측된다.[47)]

46) VR/AR, 비현실의 현실화, 삼성증권, 2019.07.12
47) 가상현실(VR)·증강현실(AR) 산업정책의 평가와 개선과제, 국회입법조사처, 2019.12.26

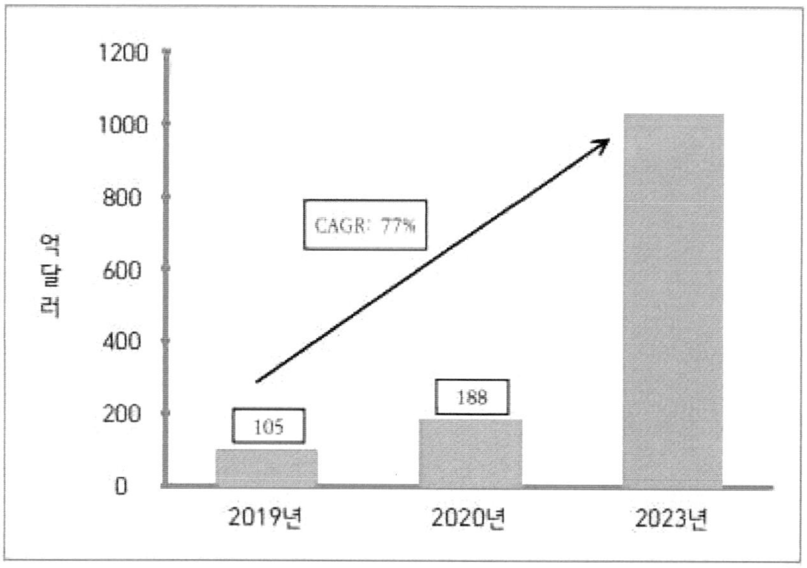

자료: International Data Corporation(IDC)(2019)의 자료에 기반하여 작성

[그림 38] 글로벌 시장에서 VR·AR의 시장 수요

나. 국내 시장 동향48)49)

시장조사기관 마켓앤마켓에 따르면 우리나라의 증강현실 시장은 2019년 5억 5,200만 달러에서 연평균 성장률 49.9%로 증가하여, 2024년에는 41억 7,900만 달러에 이를 것으로 전망된다.

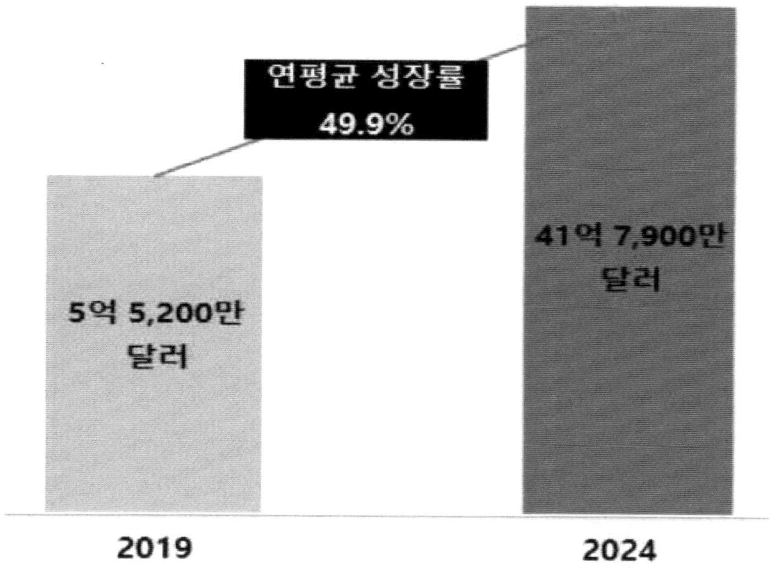

[그림 39] 우리나라의 증강현실 시장 규모 및 전망

증강현실과 관련된 실감 산업을 함께 살펴보자면, Statista, Digi-Capital, 한국콘텐츠진흥원의 자료를 기반으로 예측된 국내 실감 산업 규모는 연평균 성장률 76%를 기록하며 2023년 57,600억 원에 달할 것으로 전망된다.

년도	2019(E)	2020(E)	2021(E)	2022(E)	2023(E)	CAGR(%)
실감 산업 규모	6,048	16,200	32,400	46,800	57,600	76

[표 1] 국내 실감콘텐츠 시장규모

Digi-Capital, Goldman Sachs, ECORYS 등을 활용 하여 추정된 실감산업 분야별 비율은 하드웨어의 경우 2023년까지 지속적으로 감소할 전망이며, 소프트웨어는 하드웨어와 반대로 증가할 전망이다. 콘텐츠의 경우 2023년까지 약 28%로 유지될 것으로 예상된다. 이를 통해 과거 하드웨어 중심으로 성장하던 실감 콘텐츠 산업이 향후 소프트웨어와 콘텐츠를 이용하여 성장 할 것이라는 것을 의미한다.

48) 증강 현실 시장, 글로벌 시장동향보고서, 연구개발특구진흥재단, 2021.03
49) 5G시대, 실감산업 육성 방안 연구, SPRI, 2020.01

년도	2019(E)	2020(E)	2021(E)	2022(E)	2023(E)
하드웨어	0.55	0.51	0.47	0.42	0.35
소프트웨어	0.15	0.20	0.25	0.30	0.38
콘텐츠	0.30	0.29	0.28	0.28	0.27

[표 2] 국내 실감콘텐츠 산업 분야별 비율

통계청 자료를 바탕으로 실감형 콘텐츠 제작 소프트웨어 시장 규모를 추정해보도록 하자. 실감형 콘텐츠 제작 소프트웨어는 VR(가상현실), AR(증강현실), MR(혼합현실)로 대표되는 실감형 콘텐츠의 제작을 위한 엔진(Engine), 시뮬레이터 등 콘텐츠 제작에 최적화된 소프트웨어를 의미하며, 콘텐츠 제작을 위한 엔진과 특정 산업의 시뮬레이터 구성에 필요한 가상 모델링 디자인 기술 및 영상 합성 기술 등으로 구성된다.

국내 실감형 콘텐츠 제작 소프트웨어 시장은 2013년 512억 원에서 연평균 27.3% 성장하여 2016년 1,057억 원 규모의 시장을 형성하였으며, 2016년 이후 연평균 273%의 성장률을 보이면서 2022년에는 4,495억 원의 시장규모를 형성할 것으로 전망되고, HMD·디스플레이·5G 인터넷 등 기술의 고도화로 응용 서비스 범위가 확산될 수 있으며, 단말 개발에 집중하던 추세에서 벗어나 콘텐츠 및 플랫폼 구축 등 소프트웨어 시장 중심으로 경쟁 구도가 변화하는 중인 성장기 산업이다.[50)]

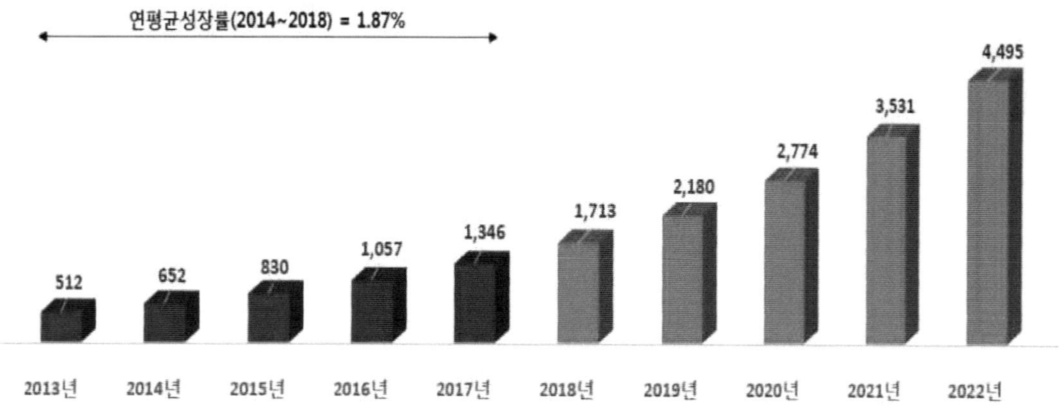

[그림 40] 국내 실감형 콘텐츠 제작 소프트웨어 시장 규모 (단위 : 억 원)

50) 위지윅스튜디오, 한국IR협의회, 2021.07.29

다. 세부항목별 시장 동향[51)]

1) 제공방식

전 세계 증강현실 시장은 제공 방식에 따라 소프트웨어, 하드웨어로 분류된다. 소프트웨어는 2019년 98억 1,100만 달러에서 연평균 성장률 38.2%로 증가하여, 2024년에는 494억 1,400만 달러에 이를 것으로 전망되며, 하드웨어는 2019년 9억 3,800만 달러에서 연평균 성장률 90.1%로 증가하여, 2024년에는 232억 9,900만 달러에 이를 것으로 전망된다.

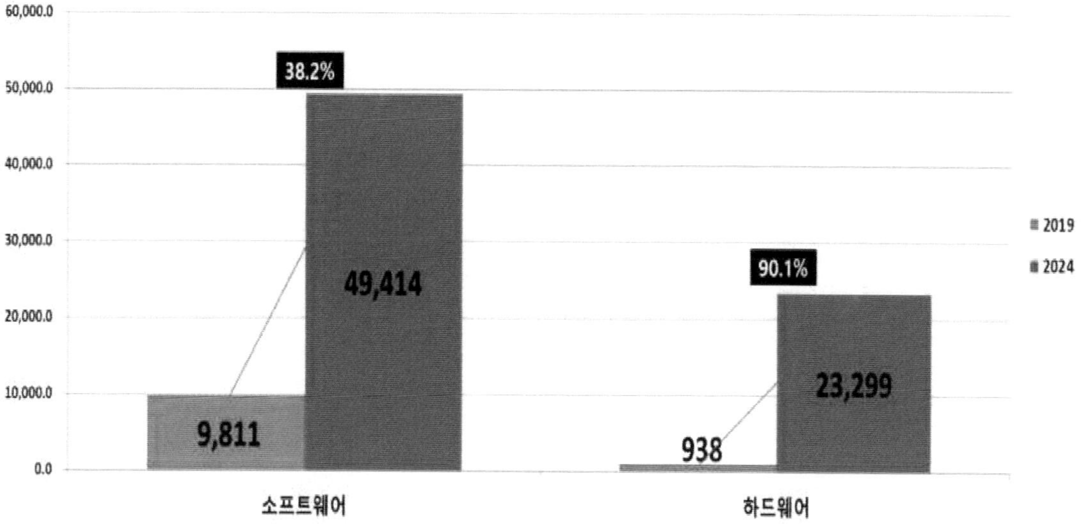

[그림 41] 글로벌 증강현실 시장의 제공 방식별 시장 규모 및 전망 (단위: 백만 달러)

2) 하드웨어 구성 요소

전 세계 증강현실 시장은 하드웨의 구성 요소에 따라 디스플레이 및 프로젝터, 카메라, 반도체 부품, 센서, 위치 추적기, 기타로 분류된다. 디스플레이 및 프로젝터는 2019년 3억 2,600만 달러에서 연평균 성장률 91.4%로 증가하여, 2024년에는 83억 8,800만 달러에 이를 것으로 전망되며, 카메라는 2019년 2억 1,400만 달러에서 연평균 성장률 90.4%로 증가하여, 2024년에는 53억 5,900만 달러에 이를 것으로 전망된다. 반도체 부품은 2019년 1억 6,100만 달러에서 연평균 성장률 87.4%로 증가하여, 2024년에는 37억 2,800만 달러에 이를 것으로 전망되고, 센서는 2019년 1억 4,600만 달러에서 연평균 성장률 88.6%로 증가하여, 2024년에는 34억 9,500만 달러에 이를 것으로 전망된다. 다음으로, 위치 추적기는 2019년 4,800만 달러에서 연평균 성장률 91.0%로 증가하여, 2024년에는 12억 1,200만 달러에 이를 것으로 전망되며, 마지막으로 기타는 2019년 4,200만 달러에서 연평균 성장률 92.9%로 증가하여, 2024년에는 11억 1,800만 달러에 이를 것으로 전망된다.

---

51) 증강 현실 시장, 글로벌 시장동향보고서, 연구개발특구진흥재단, 2021.03

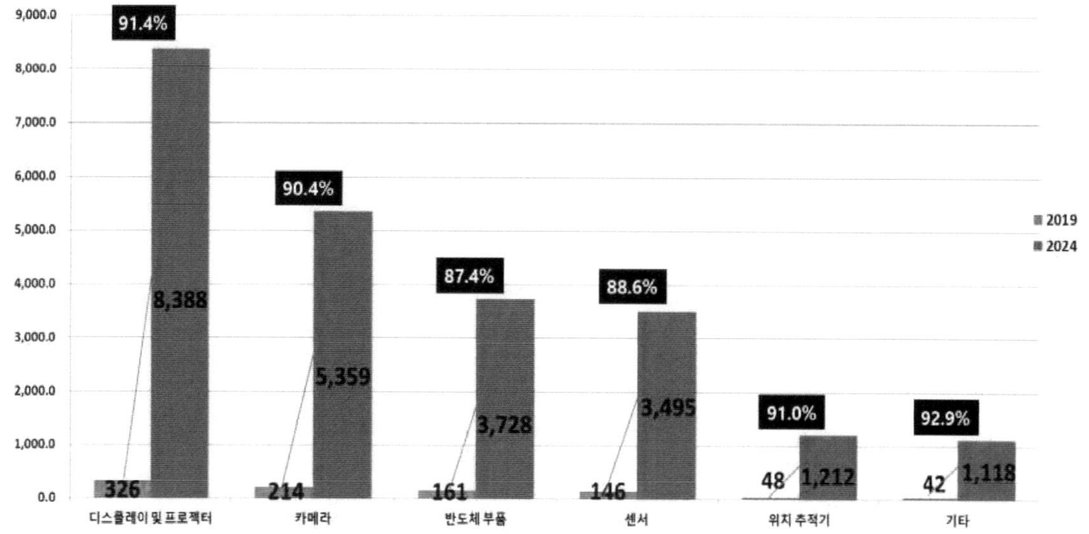

[그림 42] 글로벌 증강현실 시장의 하드웨어 구성 요소별 시장 규모 및 전망(단위: 백만 달러)

3) 디바이스 타입

전 세계 증강현실 시장은 디바이스 타입에 따라 헤드 마운트 디스플레이(HMD), 헤드업 디스플레이(HUD)로 분류된다. 헤드 마운트 디스플레이(HMD)는 2019년 9억 달러에서 연평균 성장률 89.8%로 증가하여, 2024년에는 221억 7,900만 달러에 이를 것으로 전망되며, 헤드업 디스플레이(HUD)는 2019년 3,700만 달러에서 연평균 성장률 97.4%로 증가하여, 2024년에는 11억 2,000만 달러에 이를 것으로 전망된다.

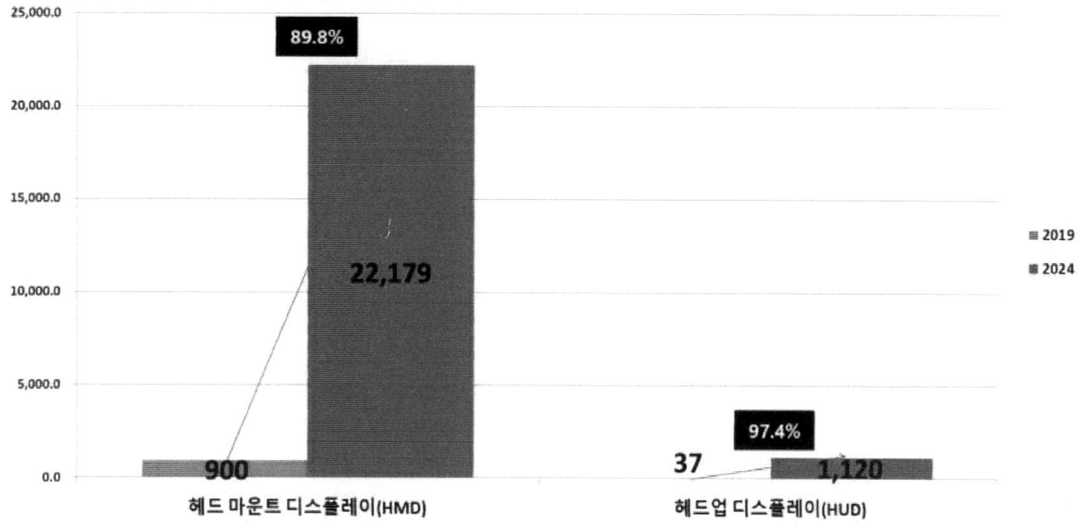

[그림 43] 글로벌 증강현실 시장의 디바이스 타입별 시장 규모 및 전망(단위: 백만 달러)

4) 용도

전 세계 증강현실 시장은 용도에 따라 엔터프라이즈, 소매, 헬스 케어, 미디어 및 엔터테인먼트, 교육, 기타 용도로 분류된다. 엔터프라이즈는 2019년 76억 60만 달러에서 연평균 성장률 28.72%로 증가하여, 2024년에는 268억 5,729만 달러에 이를 것으로 전망되고, 소매는 2019년 45억 5,633만 달러에서 연평균 성장률 30.06%로 증가하여, 2024년에는 169억 5,715만 달러에 이를 것으로 전망된다. 헬스 케어는 2019년 43억 3,493만 달러에서 연평균 성장률 25.06%로 증가하여, 2024년에는 132억 5,993만 달러에 이를 것으로 전망되며, 미디어 및 엔터테인먼트는 2019년 38억 6,446만 달러에서 연평균 성장률 32.35%로 증가하여, 2024년에는 156억 9,146만 달러에 이를 것으로 전망된다. 다음으로, 교육은 2019년 27억 3,481만 달러에서 연평균 성장률 22.06%로 증가하여, 2024년에는 74억 842만 달러에 이를 것으로 전망되고, 마지막으로 기타 용도는 2019년 20억 6,809만 달러에서 연평균 성장률 60.43%로 증가하여, 2024년에는 219억 7,819만 달러에 이를 것으로 전망된다.

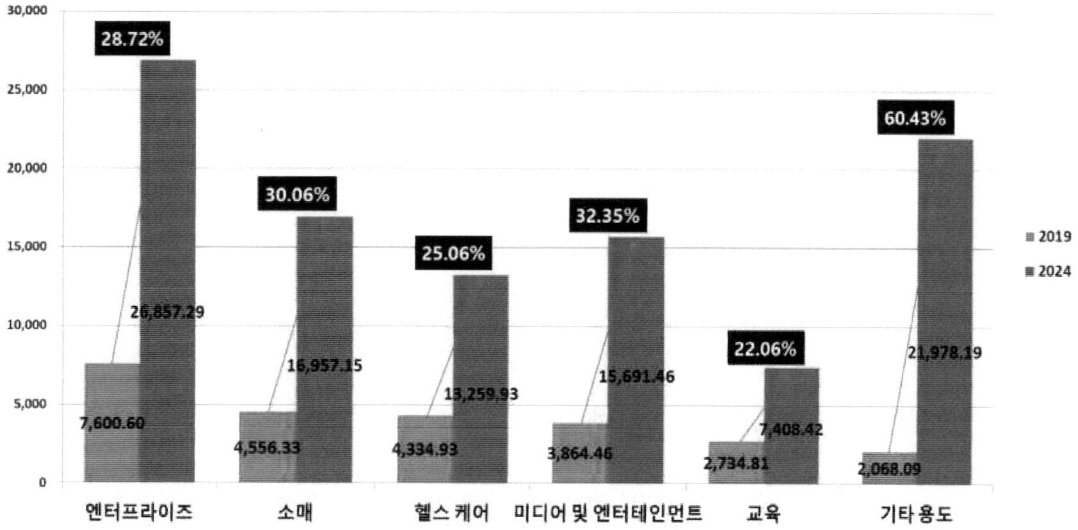

[그림 44] 글로벌 증강현실 시장의 용도별 시장 규모 및 전망 (단위: 백만 달러)

라. 지역별 시장 동향[52)]

전 세계 증강현실 시장을 지역별로 살펴보면, 2018년을 기준으로 북아메리카 지역이 35.0%로 가장 높은 점유율을 나타내었다. 북아메리카 지역은 2019년 37억 4,800만 달러에서 연평균 성장률 46.1%로 증가하여, 2024년에는 249억 2,400만 달러에 이를 것으로 전망되며, 아시아-태평양 지역은 2019년 34억 9,600만 달러에서 연평균 성장률 50.2%로 증가하여, 2024년에는 266억 8,900만 달러에 이를 것으로 전망된다. 유럽 지역은 2019년 27억 3,700만 달러에서 연평균 성장률 45.2%로 증가하여, 2024년에는 176억 6,500만 달러에 이를 것으로 전망되고, 마지막으로 기타 지역은 2019년 7억 6,700만 달러에서 연평균 성장률 35.0%로 증가하여, 2024년에는 34억 3,500만 달러에 이를 것으로 전망된다.

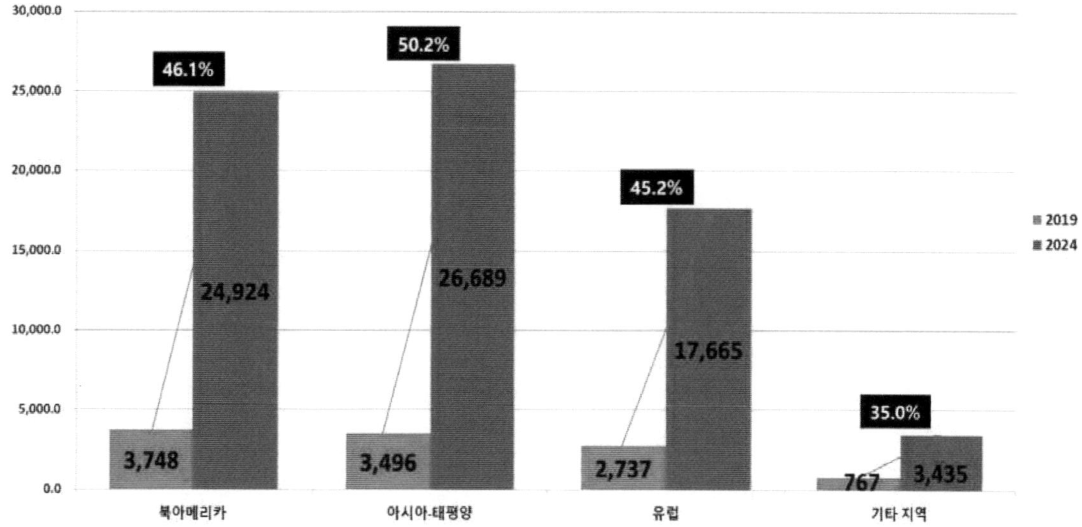

[그림 45] 글로벌 증강현실 시장의 지역별 시장 규모 및 전망 (단위: 백만 달러)

52) 증강 현실 시장, 글로벌 시장동향보고서, 연구개발특구진흥재단, 2021.03

마. 분야별 시장 동향

1) 헬스케어[53)]

전 세계 헬스케어용 증강현실(AR) 및 가상현실(VR) 시장은 2018년 10억 804만 달러에서 연평균 성장률 28.15%로 증가하여, 2023년에는 34억 8,456만 달러에 이를 것으로 전망된다.

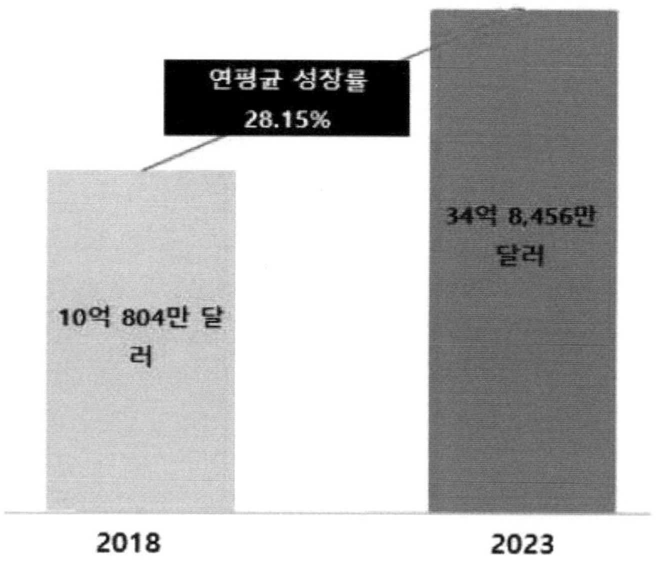

[그림 46] 글로벌 헬스케어용 증강현실 및 가상현실 시장
규모 및 전망

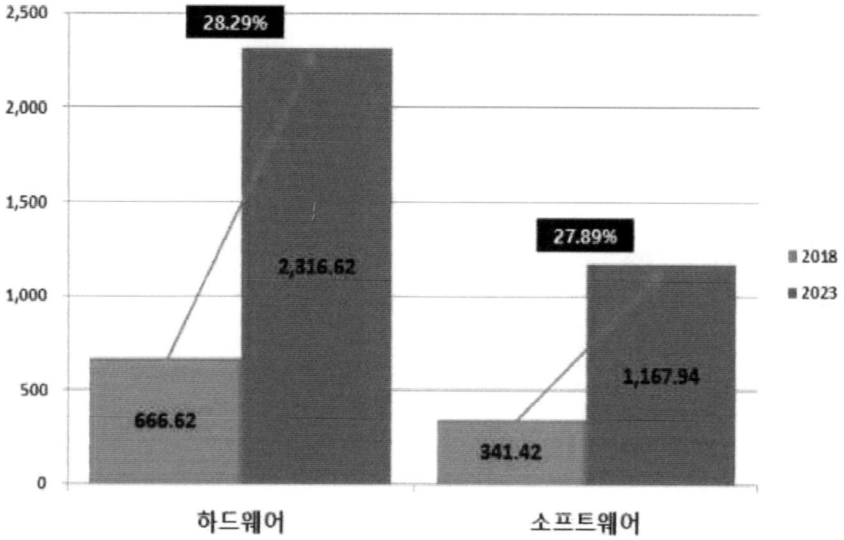

[그림 47] 글로벌 헬스케어용 증강현실(AR) 및 가상현실(VR) 시장의 제공별
시장 규모 및 전망 (단위: 백만 달러)

53) 헬스케어용 증강현실 및 가상현실 시장, 연구개발특구진흥재단, 2020.02

전 세계 헬스케어용 증강현실(AR) 및 가상현실(VR) 시장은 제공에 따라 하드웨어, 소프트웨어로 분류할 수 있다. 하드웨어는 2018년 6억 6,662만 달러에서 연평균 성장률 28.29%로 증가하여, 2023년에는 23억 1,662만 달러에 이를 것으로 전망되며, 소프트웨어는 2018년 3억 4,142만 달러에서 연평균 성장률 27.89%로 증가하여, 2023년에는 11억 6,794만 달러에 이를 것으로 전망된다.

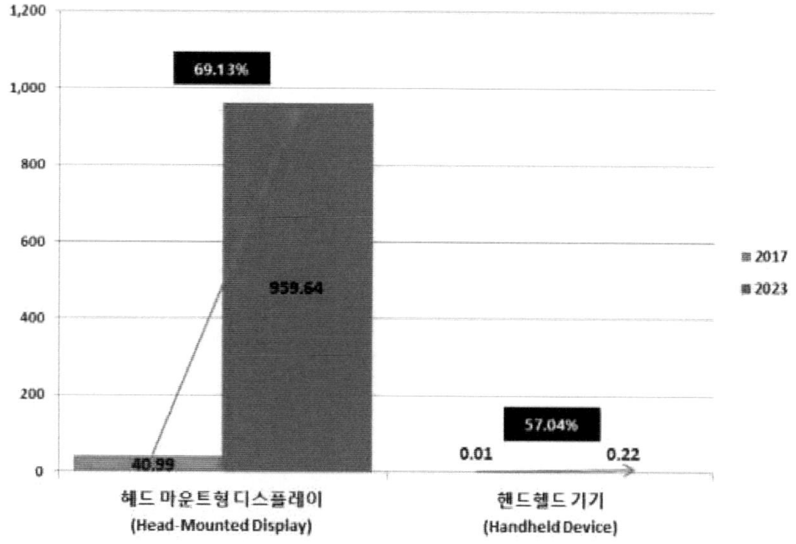

[그림 48] 글로벌 헬스케어용 증강현실(AR) 시장의 디바이스 종류별 시장 규모 및 전망 (단위: 백만 달러)

전 세계 헬스케어용 증강현실(AR) 시장은 디바이스 종류에 따라 헤드 마운트형 디스플레이(Head-Mounted Display), 핸드헬드 기기(Handheld Device)로 분류할 수 있다. 헤드 마운트형 디스플레이(Head-Mounted Display)는 2017년 4,099만 달러에서 연평균 성장률 69.13%로 증가하여, 2023년에는 9억 5,964만 달러에 이를 것으로 전망되며, 핸드헬드 기기(Handheld Device)는 2017년 1만 달러에서 연평균 성장률 57.04%로 증가하여, 2023년에는 22만 달러에 이를 것으로 전망된다.

전 세계 헬스케어용 증강현실(AR) 시장은 최종사용자에 따라 병원, 클리닉 및 외과센터, 연구기관 및 제약회사, 연구 및 임상검사실, 정부 및 방위시설, 기타로 분류될 수 있다. 병원, 클리닉 및 외과센터는 2017년 1억 2,060만 달러에서 연평균 성장률 47.24%로 증가하여, 2023년에는 12억 2,850만 달러에 이를 것으로 전망되며, 연구기관 및 제약회사는 2017년 9,430만 달러에서 연평균 성장률 52.42%로 증가하여, 2023년에는 11억 8,250만 달러에 이를 것으로 전망된다.

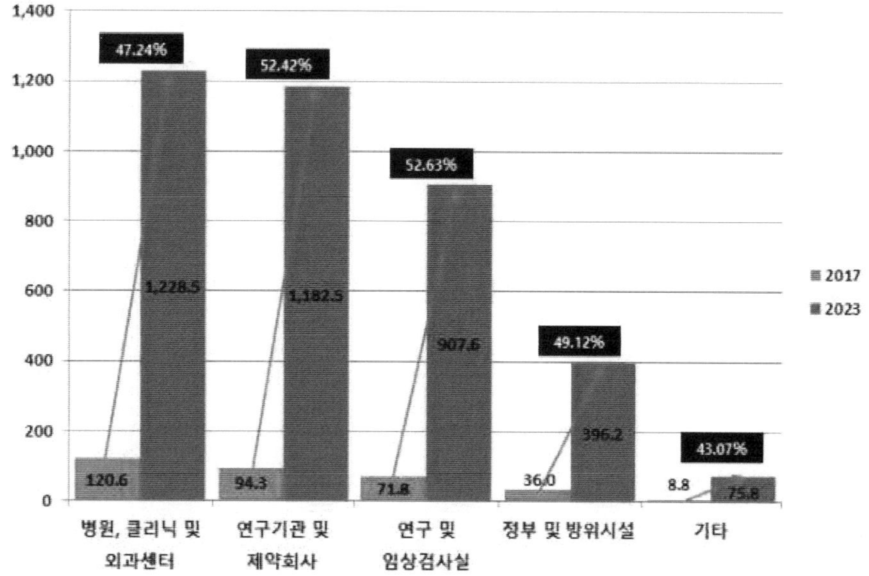

[그림 49] 글로벌 헬스케어용 증강현실(AR) 시장의 최종사용자별 시장 규모 및 전망 (단위: 백만 달러)

다음으로 연구 및 임상검사실은 2017년 7,180만 달러에서 연평균 성장률 52.63%로 증가하여, 2023년에는 9억 760만 달러에 이를 것으로 전망되며, 정부 및 방위시설은 2017년 3,600만 달러에서 연평균 성장률 49.12%로 증가하여, 2023년에는 3억 9,620만 달러에 이를 것으로 전망된다. 마지막으로, 기타는 2017년 880만 달러에서 연평균 성장률 43.07%로 증가하여, 2023년에는 7,580만 달러에 이를 것으로 전망된다.

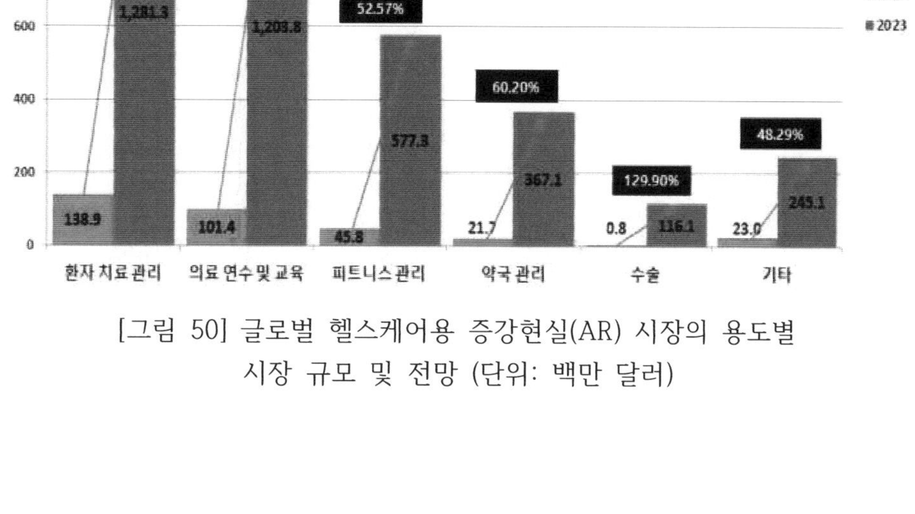

[그림 50] 글로벌 헬스케어용 증강현실(AR) 시장의 용도별 시장 규모 및 전망 (단위: 백만 달러)

또한, 전 세계 헬스케어용 증강현실(AR) 시장은 용도에 따라 환자 치료 관리, 의료 연수 및 교육, 피트니스 관리, 약국 관리, 수술, 기타로 분류할 수 있다. 환자 치료 관리는 2017년 1억 3,890만 달러에서 연평균 성장률 44.83%로 증가하여, 2023년에는 12억 8,130만 달러에 이를 것으로 전망되며, 의료 연수 및 교육은 2017년 1억 140만 달러에서 연평균 성장률 51.05%로 증가하여, 2023년에는 12억 380만 달러에 이를 것으로 전망된다.

다음으로, 피트니스 관리는 2017년 4,580만 달러에서 연평균 성장률 52.57%로 증가하여, 2023년에는 5억 7,730만 달러에 이를 것으로 전망되고, 약국 관리는 2017년 2,170만 달러에서 연평균 성장률 60.20%로 증가하여, 2023년에는 3억 6,710만 달러에 이를 것으로 전망되며, 수술은 2017년 80만 달러에서 연평균 성장률 129.90%로 증가하여, 2023년에는 1억 1,610만 달러에 이를 것으로 전망된다. 마지막으로 기타는 2017년 2,300만 달러에서 연평균 성장률 48.29%로 증가하여, 2023년에는 2억 4,510만 달러에 이를 것으로 전망된다.

전 세계 헬스케어용 증강현실(AR) 및 가상현실(VR) 시장을 지역별로 살펴보면, 2018년을 기준으로 미국 지역이 48.30%로 가장 높은 점유율을 차지하였고, 유럽- 중동-아프리카 지역이 36.70%, 아시아-태평양 지역이 15.00%로 나타났다.

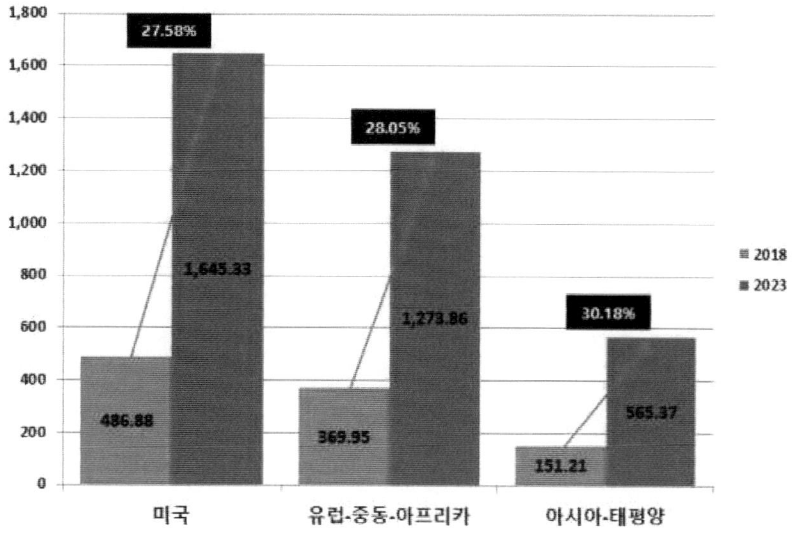

[그림 51] 글로벌 헬스케어용 증강현실(AR) 및 가상현실(VR) 시장의
지역별 시장 규모 및 전망 (단위: 백만 달러)

미국은 2018년 4억 8,688만 달러에서 연평균 성장률 27.58%로 증가하여, 2023년에는 16억 4,533만 달러에 이를 것으로 전망되며, 유럽-중동-아프리카 지역은 2018년 3억 6,995만 달러에서 연평균 성장률 28.05%로 증가하여, 2023년에는 12억 7,386만 달러에 이를 것으로 전망된다. 마지막으로, 아시아-태평양은 2018년 1억 5,121만 달러에서 연평균 성장률 30.18%로 증가하여, 2023년에는 5억 6,537만 달러에 이를 것으로 전망된다. 우리나라의 헬스케어용 증강현실(AR) 시장은 2017년 1,660만 달러에서 연평균 성장률 51.61%로 증가하여, 2023년에는 2억 200만 달러에 이를 것으로 전망된다.

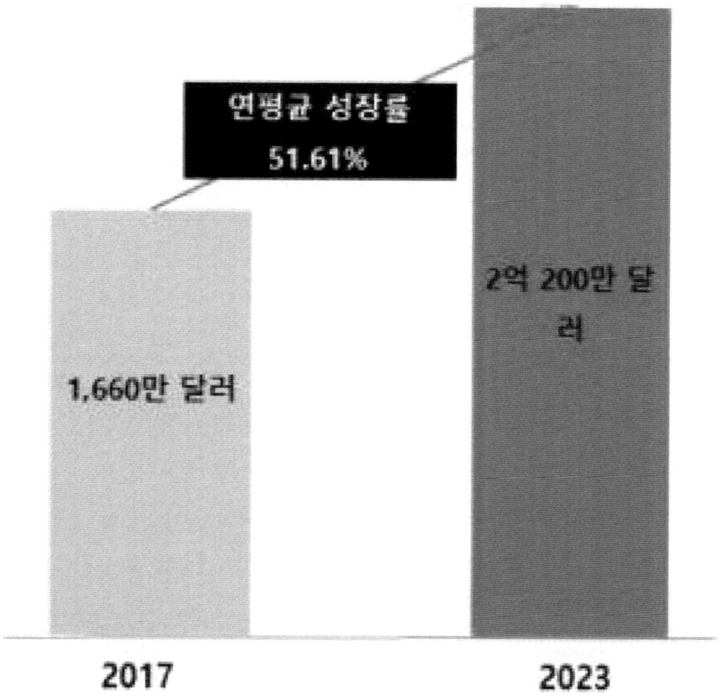

[그림 52] 국내 헬스케어용 증강현실(AR) 시장 규모 및 전망

2) 자동차[54]

전 세계 자동차용 증강현실 시장은 2020년 30억 2,000만 달러에서 연평균 성장률 17.60%로 증가하여, 2025년에는 67억 9,000만 달러에 이를 것으로 전망된다.

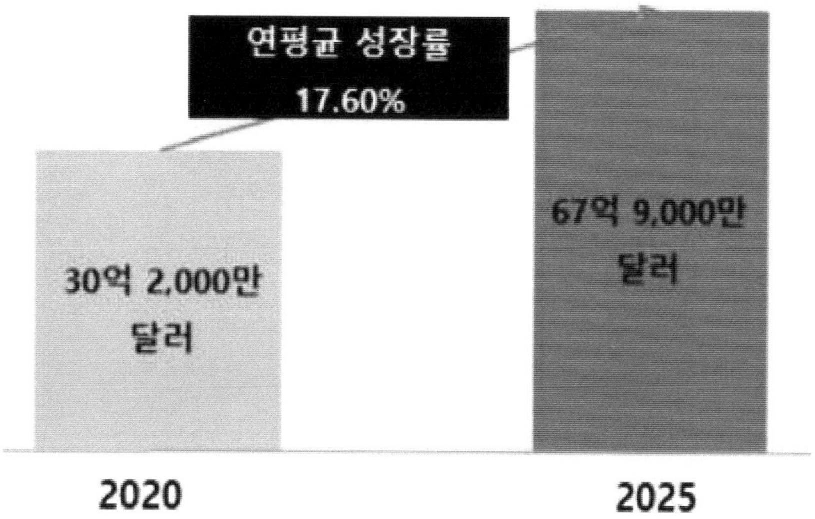

[그림 53] 글로벌 자동차용 증강현실 시장 규모 및 전망

전 세계 자동차용 증강현실 시장은 기술에 따라 내비게이션 탑재 증강현실 헤드업 디스플레이, 어댑티브 크루즈 컨트롤 탑재 증강현실 헤드 업 디스플레이, 표준 기능 탑재 증강현실 헤드 업 디스플레이, 차선 이탈 경고 탑재 증강현실 헤드 업 디스플레이, 첨단 증강현실 헤드 업 디스플레이로 분류할 수 있다.

첨단 증강현실 헤드 업 디스플레이는 2020년을 기준으로 23.1%의 점유율을 차지하였으며, 그 뒤를 내비게이션 탑재 증강현실 헤드 업 디스플레이가 22.1%, 어댑티브 크루즈 컨트롤 탑재 증강현실 헤드 업 디스플레이가 19.1%, 표준 기능 탑재 증강현실 헤드 업 디스플레이가 19.5%, 차선 이탈 경고 탑재 증강현실 헤드 업 디스플레이가 16.3%로 뒤따르고 있다.

54) 자동차용 증강현실 시장, 연구개발특구진흥재단, 2020.02

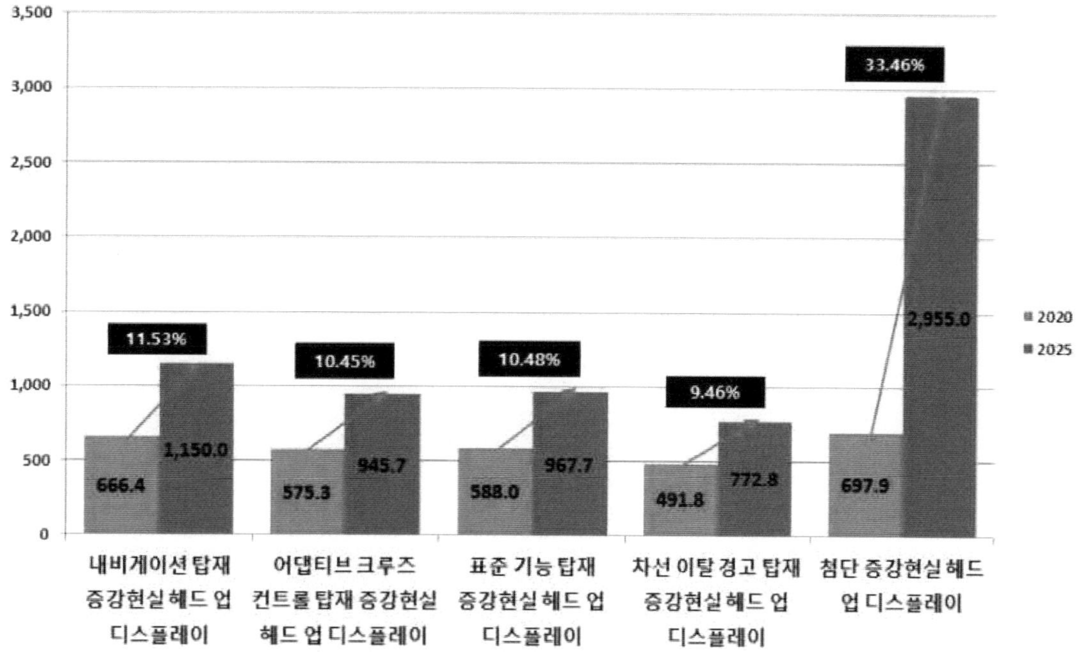

[그림 54] 글로벌 자동차용 증강현실 시장의 기술별 시장 규모 및 전망 (단위: 백만 달러)

먼저, 내비게이션 탑재 증강현실 헤드 업 디스플레이는 2020년 6억 6,640만 달러에서 연평균 성장률 11.53%로 증가하여, 2025년에는 11억 5,000만 달러에 이를 것으로 전망되며, 어댑티브 크루즈 컨트롤 탑재 증강현실 헤드는 2020년 5억 7,530만 달러에서 연평균 성장률 10.45%로 증가하여, 2025년에는 9억 4,570만 달러에 이를 것으로 전망된다.

다음으로, 표준 기능 탑재 증강현실 헤드 업 디스플레이는 2020년 5억 8,800만 달러에서 연평균 성장률 10.48%로 증가하여, 2025년에는 9억 6,770만 달러에 이를 것으로 전망된다.

마지막으로 차선 이탈 경고 탑재 증강현실 헤드 업 디스플레이는 2020년 4억 9,180만 달러에서 연평균 성장률 9.46%로 증가하여, 2025년에는 7억 7,280만 달러에 이를 것으로 전망되고, 첨단 증강현실 헤드 업 디스플레이는 2020년 6억 9,790만 달러에서 연평균 성장률 33.46%로 증가하여, 2025년에는 29억 5,500만 달러에 이를 것으로 전망된다.

전 세계 자동차용 증강현실 시장은 센서기술에 따라 레이더(Radar), 라이다(LiDar), CCD 및 CMOS 영상 센서, 센서 기능으로 분류할 수 있다.

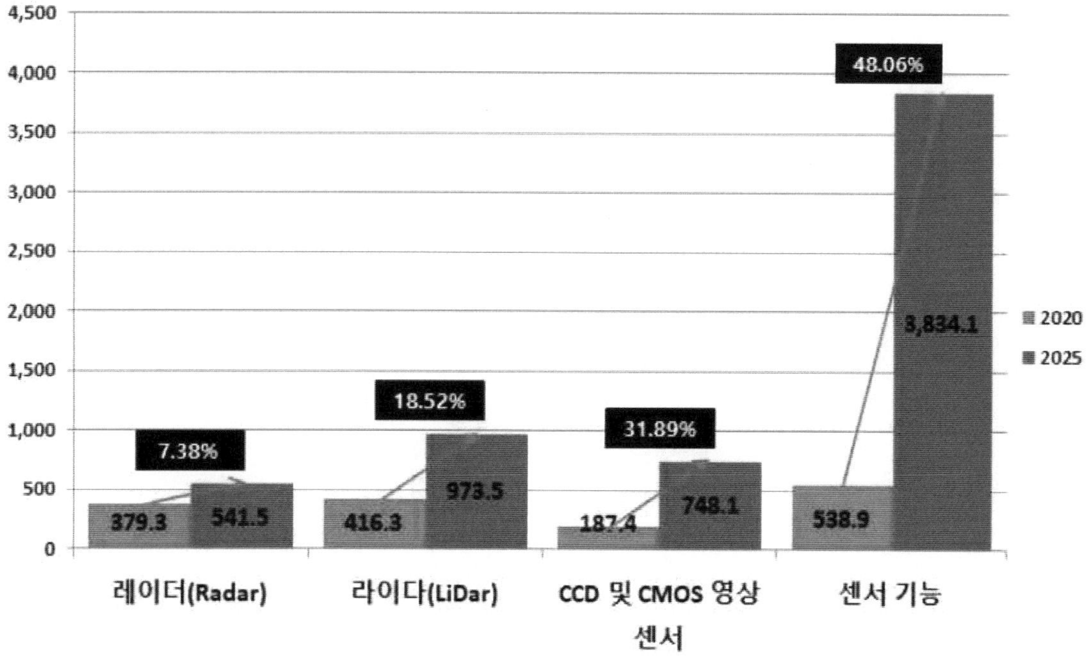

[그림 55] 글로벌 자동차용 증강현실 시장의 센서기술별 시장 규모 및 전망 (단위: 백만 달러)

레이더(Radar)는 2020년 3억 7,930만 달러에서 연평균 성장률 7.38%로 증가하여, 2025년에는 5억 4,150만 달러에 이를 것으로 전망되며, 라이다(LiDar)는 2020년 4억 1,630만 달러에서 연평균 성장률 18.52%로 증가하여, 2025년에는 9억 7,350만 달러에 이를 것으로 전망된다.

또한, CCD 및 CMOS 영상 센서는 2020년 1억 8,740만 달러에서 연평균 성장률 31.89%로 증가하여, 2025년에는 7억 4,810만 달러에 이를 것으로 전망되며, 센서 기능은 2020년 5억 3,890만 달러에서 연평균 성장률 48.06%로 증가하여, 2025년에는 38억 3,410만 달러에 이를 것으로 전망된다.

전 세계 자동차용 증강현실 시장은 최종사용자에 따라 TFT LCD, 기타 첨단기술로 분류할 수 있다.

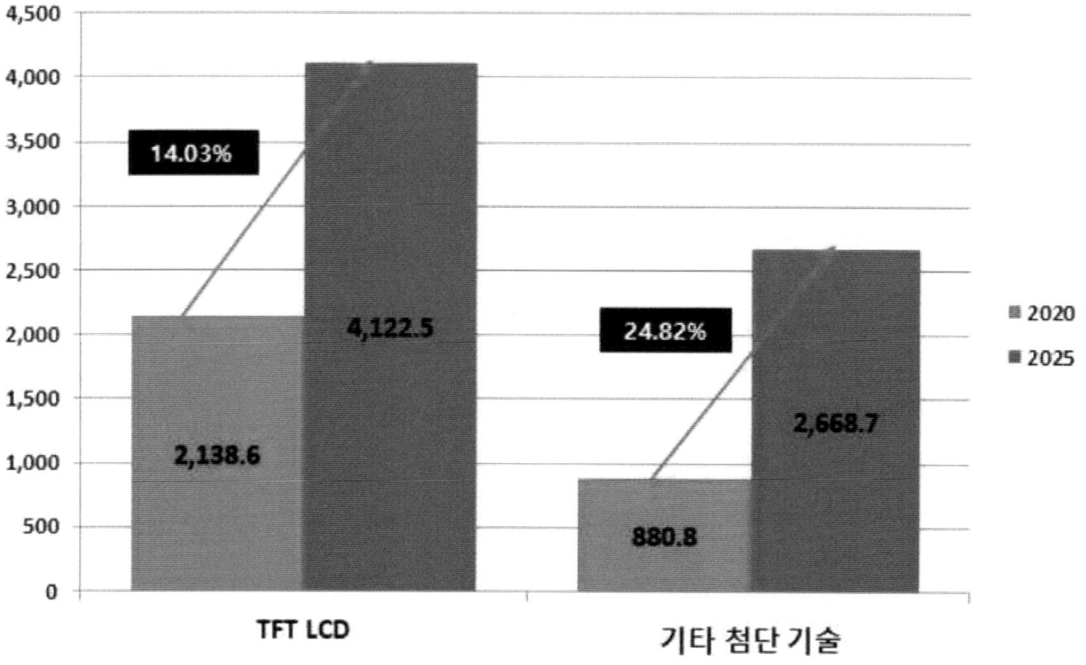

[그림 56] 글로벌 자동차용 증강현실 시장의 디스플레이 기술별 시장 규모 및 전망 (단위: 백만 달러)

TFT LCD는 2020년 21억 3,860만 달러에서 연평균 성장률 14.03%로 증가하여, 2025년에는 41억 2,250만 달러에 이를 것으로 전망되며, 기타 첨단기술은 2020년 8억 8,080만 달러에서 연평균 성장률 24.82%로 증가하여, 2025년에는 26억 6,870만 달러에 이를 것으로 전망된다.

다음으로, 전 세계 자동차용 증강현실 시장은 전기 자동차에 따라 배터리식 전기자동차, 기타(하이브리드)로 분류할 수 있다.

배터리식 전기자동차는 2020년 1,990만 달러에서 연평균 성장률 50.12%로 증가하여, 2025년에는 1억 5,200만 달러에 이를 것으로 전망되며, 기타(하이브리드)는 2020년 1억 520만 달러에서 연평균 성장률 30.35%로 증가하여, 2025년에는 3억 9,590만 달러에 이를 것으로 전망된다.

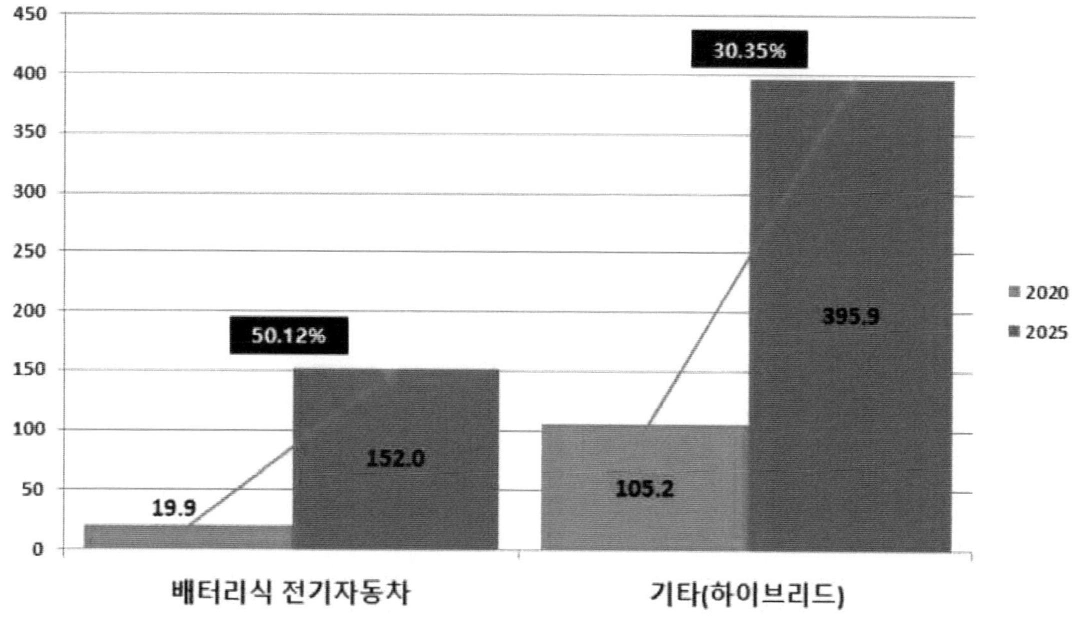

[그림 57] 글로벌 자동차용 증강현실 시장의 전기 자동차별
시장 규모 및 전망 (단위: 백만 달러)

전 세계 자동차용 증강현실 시장은 자율 주행 수준에 따라 표준 수준, 반자동 수준으로 분류할 수 있다.

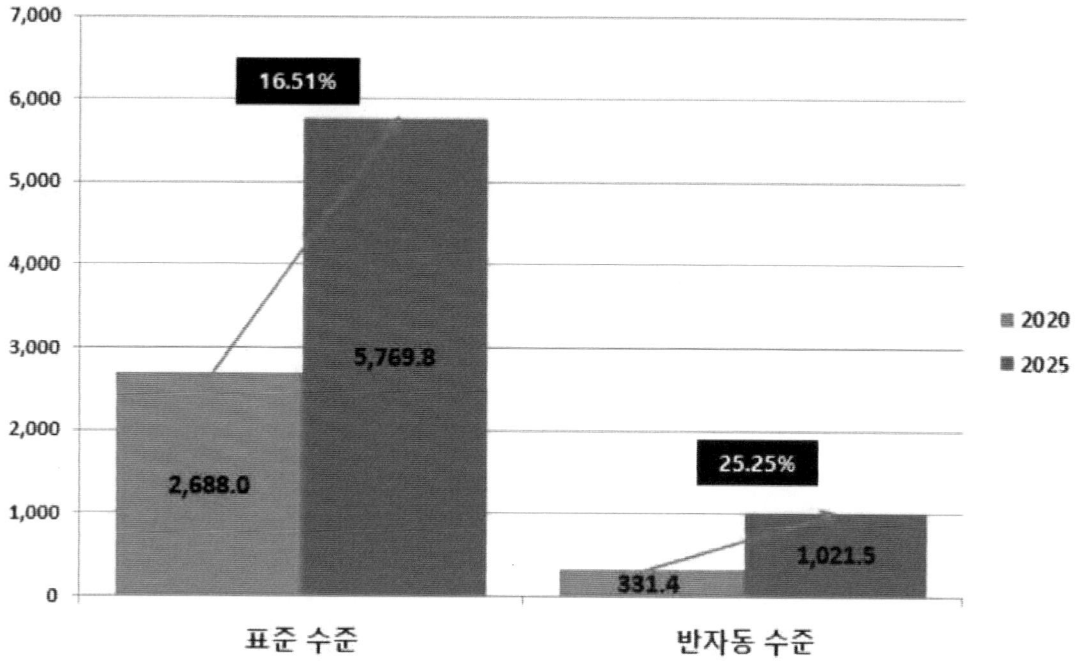

[그림 58] 글로벌 자동차용 증강현실 시장의 자율 주행 수준별
시장 규모 및 전망 (단위: 백만 달러)

표준 수준은 2020년 26억 8,800만 달러에서 연평균 성장률 16.51%로 증가하여, 2025년에는

57억 6,980만 달러에 이를 것으로 전망되며, 반자동 수준은 2020년 3억 3,140만 달러에서 연평균 성장률 25.25%로 증가하여, 2025년에는 10억 2,150만 달러에 이를 것으로 전망된다.

전 세계 자동차용 증강현실 시장은 지역에 따라 아시아-오세아니아, 유럽, 북미, 기타로 분류할 수 있다.

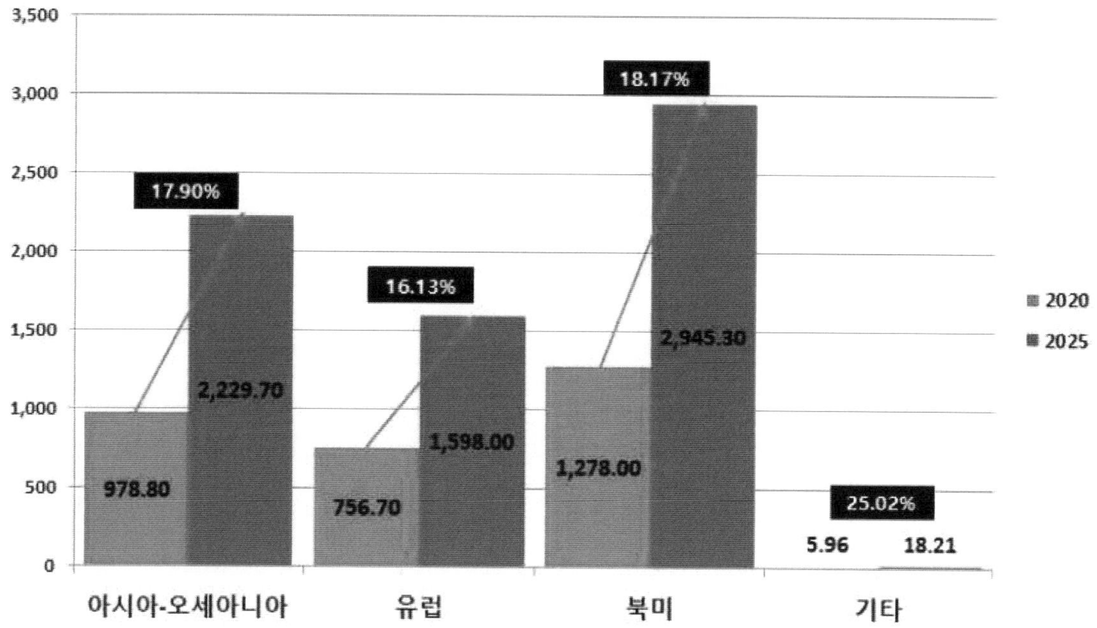

[그림 59] 글로벌 자동차용 증강현실 시장의 지역별 시장 규모 및 전망
(단위: 백만 달러)

아시아-오세아니아 지역은 2020년 9억 7,880만 달러에서 연평균 성장률 17.90%로 증가하여, 2025년에는 22억 2,970만 달러에 이를 것으로 전망되며, 유럽 지역은 2020년 7억 5,670만 달러에서 연평균 성장률 16.13%로 증가하여, 2025년에는 15억 9,800만 달러에 이를 것으로 전망된다.

다음으로, 북미 지역은 2020년 12억 7,800만 달러에서 연평균 성장률 18.17%로 증가하여, 2025년에는 29억 4,530만 달러에 이를 것으로 전망되며, 기타 지역은 2020년 596만 달러에서 연평균 성장률 25.02%로 증가하여, 2025년에는 1,821만 달러에 이를 것으로 전망된다.

우리나라의 자동차용 증강현실 시장은 2020년 3,710만 달러에서 연평균 성장률 21.49%로 증가하여, 2025년에는 9,810만 달러에 이를 것으로 전망된다.

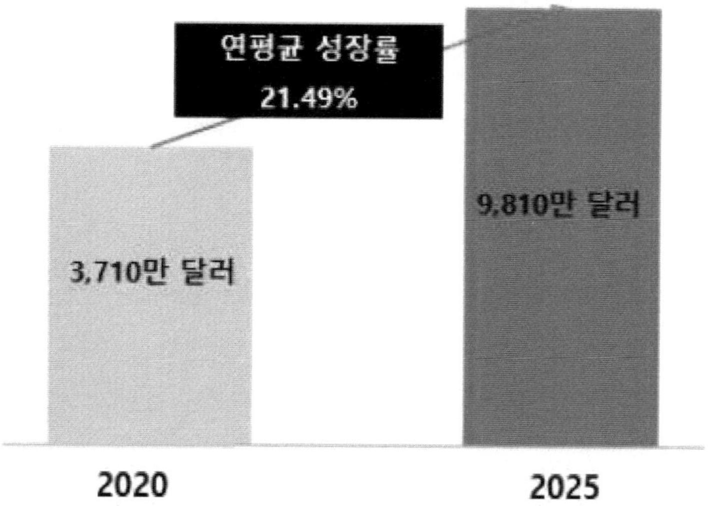

[그림 60] 우리나라의 자동차용 증강현실 시장 규모 및 전망

우리나라의 자동차용 증강현실 시장을 차량 종류별로 살펴보면, 승용차, 상용차로 분류할 수 있다.

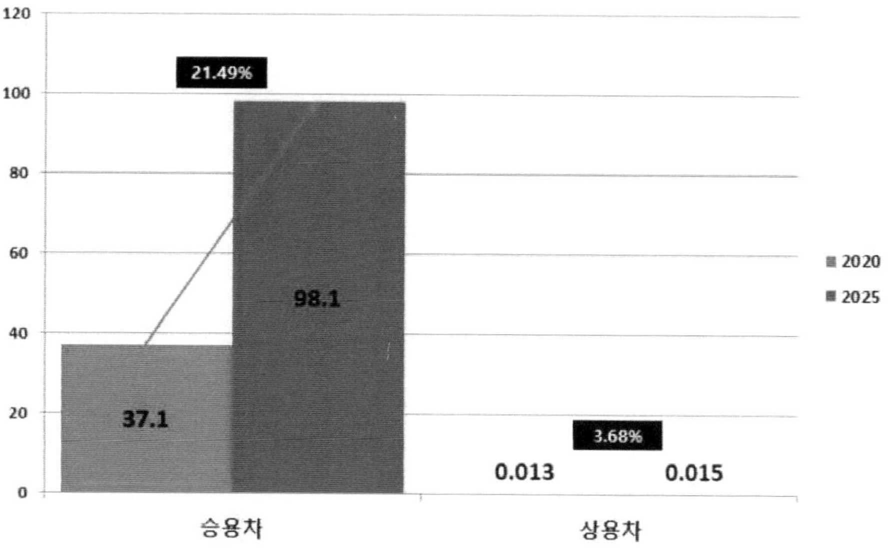

[그림 61] 우리나라의 자동차용 증강현실 시장의 차량 종류별 시장 규모 및 전망 (단위: 백만 달러)

승용차는 2020년 3,710만 달러에서 연평균 성장률 21.49%로 증가하여, 2025년에는 9,810만 달러에 이를 것으로 전망되며, 상용차는 2020년 1만 3,000달러에서 연평균 성장률 3.68%로 증가하여, 2025년에는 1만 5,000달러에 이를 것으로 전망된다.

3) 교육·훈련[55)]

우리가 전혀 체험할 수 없는 내용 위주의 교육 및 훈련은 VR 기술이 적합할 수 있지만, 실제로 우리가 배우는 내용들 중 실습훈련들은 실제의 환경에서 이루어지는 경우가 더 많으므로 (예; 군사훈련, 자동차, 선박, 항공기 수리 등) 증강현실 기술의 교육 및 훈련 분야 적용은 실감형 교육 콘텐츠 개발에서 매우 중요한 위치를 차지하고 시장의 규모도 연평균 30.31% 정도로 성장할 것으로 예상되고 있다.

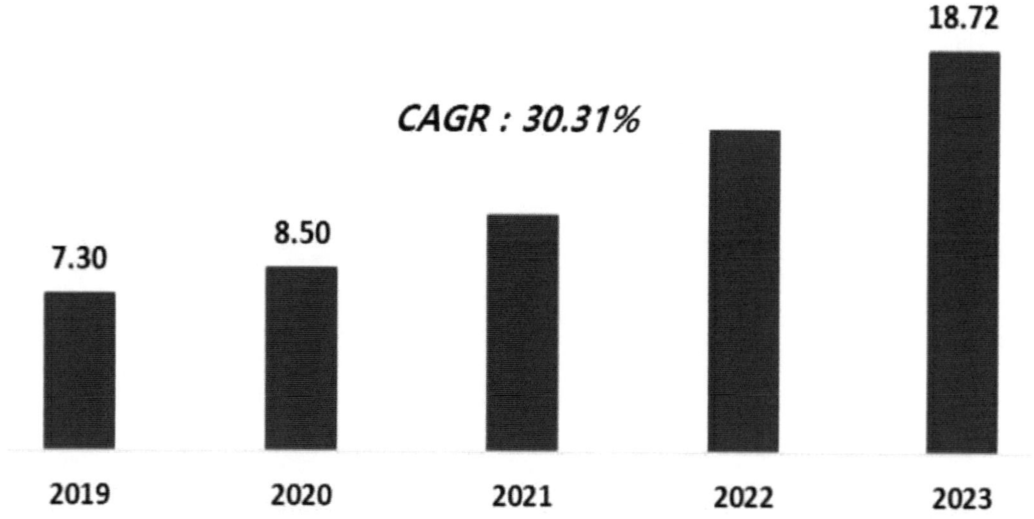

[그림 62] 증강현실 기술의 교육 및 훈련 시장 규모 예측(2019~2023년)

증강현실에 대한 관심은 포켓몬고 게임으로 인해 본격적으로 시작되었다고 할 수 있다. 실제 환경에 가상의 객체를 혼합하였다는 측면에서 이 기술은 다양한 분야에 적용될 수 있는 가능성을 보여주었고, 특히 첨단기기 및 고가의 장비에 대한 교육이 필요한 산업, 의료, 국방 분야의 현장 적용이 활발히 이루어지고 있다. 가상현실 기술의 교육 적용은 주로 학교에서의 교육이 큰 비중을 차지한 반면, 증강현실 기술은 학교보다는 직업 및 전문교육 분야에서 큰 비중을 차지하고 있기 때문에 향후 원격 및 비대면 교육 시장에서 매우 큰 부가가치를 창출할 것으로 기대되고 있다. 또한, 증강현실 기술을 적용한 교육은 피교육자인 학생에 의한 요구도 많겠지만, 주로 고비용의 교육이 많기 때문에 교육을 담당하는 기업 및 기관에서의 요구가 매우 큰 편이다. 특히, 교육을 위해 활용해야 하는 기자재의 비용이 높거나, 교육내용의 위험성이 높은 경우 수요가 매우 컸다. 과학기술정보통신부에서는 2017년 디지털콘텐츠 플래그쉽 프로젝트를 추진하여 교육훈련에 증강현실 기술 적용을 할 수 있는 기술 및 콘텐츠 개발을 지원하였고, 기업에서도 증강현실을 활용한 교육을 실시하거나 교육 프로그램을 출시하였다.

---

55) 교육 분야에서의 가상、증강현실 적용 동향, 주간기술동향, iitp, 2021.06.09

기관/분야	주요 내용
프론티스 등 3개사, 육군사관학교 등 4개사/국방	• VR/AR/MR기반 군장비 정비교육 시스템 개발 • 전투효과 극대화를 위한 실전적 전장환경 구축
경북대학교 등 5개사/의료	• 임상역량 강화를 위한 AR/AR/MR 기반 의학실습 시뮬레이션 콘텐츠 개발
지스톰, 디이씨코리아 등 6개사/제조	• VR/AR/MR기반 자동차 정비 훈련 및 정비 시스템 기술 및 콘텐츠 개발
KB금융그룹	• VR, AR 활용한 미래세대를 위한 디지털 금융 및 경제 교육
천재교육, KT	• KT는 VR/AR을 활용한 교육 플랫폼 및 교육용 솔루션 개발을 담당하고, 천재교육은 교육콘텐츠를 기획 및 개발
웅진씽크빅	• 증강현실 기반 AR사이언스 풀팩을 출시하여 다양한 과학원리 및 실험을 실감나게 수행할 수 있음
HIT Lab(뉴질랜드)	• 인쇄된 책의 일부에 3D 디지털 정보를 증강시켜 전통적 독서와 디지털 정보를 활용한 독서의 장점을 결합
비엔나기술대학교	• 3차원 기하학 내용을 증강현실을 이용하여 교육을 진행하고 기하학 교육 소프트웨어를 개발

[표 3] 실감형 기술 활용 교육훈련 사례

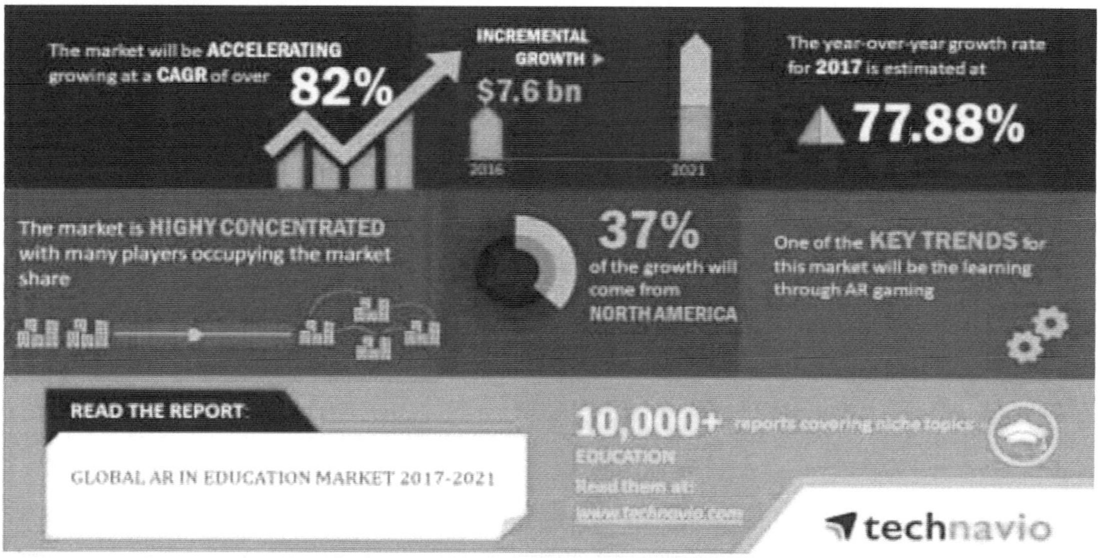

[그림 63] 증강현실 기술의 교육 및 훈련시장 진출 규모 및 성장

증강현실 기반 기술을 활용할 경우 실감나는 교육 및 훈련을 다양한 분야에서 실현할 수 있기 때문에 시장도 가파르게 성장하고 있다. ReserchandMarkets에 따르면 교육 및 훈련 분야에서의 증강현실 기술 및 하드웨어 개발을 선도하는 업체는 EON Reality, Magic Leap, DAQRI, QuiverVision, GAMOOZ, Google 등인 것으로 나타났다. 국내에서는 통신사 및 전자기업들 위주로 AR 기반의 소프트웨어 및 하드웨어 기술을 개발하면서 시장의 점유율을 높이기 위해 노력하고 있다. 증강현실 기술을 활용한 교육은 그 필요성이 점차 증가하고 있지만, 가상현실 기술의 교육 적용과 비교해 볼 때 아직은 발전 및 시장에서의 규모가 상대적으로 작은 편이다.

그 이유는 증강현실 기술 기반의 교육 및 훈련 적용 분야는 대부분 제조, 국방, 의료 등 전문적인 지식이 요구되는 분야이기 때문이다. 가상현실 기술이 적용되는 교육 분야는 학교교육이 많은 비중을 차지하고, 학교교육의 내용은 표준화된 경우가 많기 때문에 콘텐츠 개발이 상대적으로 용이한 편이다. 이에 반해 증강현실 기술이 적용되는 교육 및 훈련 분야는 전문적인 교육 콘텐츠 개발이 필수적이고, 이를 위해서는 해당 분야의 전문가가 개발에 참여하는 것이 필수적이다. 그렇지만 교육 콘텐츠 개발에 시간과 비용을 집중적으로 투자할 수 있는 해당 분야 전문가의 수가 많지 않고, 해당 분야의 전문적인 지식을 교육 콘텐츠로 개발하면서 기술유출, 기업의 정보 및 경영전략 유출 등 심각한 문제가 발생할 수 있다. 또한, 분야에 따라 필요한 증강현실 하드웨어의 크기, 특징, 성능에 대한 요구가 매우 다양하기 때문에 증강현실 하드웨어 생산 기업의 수익창출에 대한 우려가 발생할 수 있고 이러한 우려는 공격적인 투자에 대한 장애물이 될 수 있다. 국내의 민간, 정부, 학교, 연구소 등이 협력하여 위에서 언급한 장애요소들을 해결하고 완성도 높은 증강현실 기반의 실감형 교육훈련 콘텐츠를 개발한다면 전문 분야에서의 교육콘텐츠 개발에서의 글로벌 역량을 확보할 수 있게 될 것이고, 이것은 높은 부가가치 창출, 양질의 고용 창출의 선순환을 가져올 것이다.

04

증강현실 기업 분석

4. 증강현실 기업 분석

가. 국내 기업

1) 팅크웨어

[그림 65] 팅크웨어

팅크웨어는 내비게이션 개발과 위치기반 솔루션 서비스 업체로, 엔지니어 출신의 대표가 1997년 3월 설립하였고, 이후 1999년 11월 지금의 상호인 팅크웨어(주)로 사명을 바꾸고, 2006년 5월 코스닥시장에 주식을 상장했다.

팅크웨어는 국내 1위의 블랙박스 제조 기업으로 비단 블랙박스에만 국한하지 않고 증강현실에도 지속적인 투자를 진행했고, 2014년 아이나비 X1 제품을 통해 실제 화면에 그래픽을 접목시킨 증강현실기능 'Extreme AR'을 적용해 제품을 상용화 했으며 2019년 CES 2019에서 공개한 디지털 솔루션을 통해 디지털 클러스터, 헤드업 디스플레이 등에도 팅크웨어의 증강현실기능인 Extreme AR이 활용 가능함을 보였다.

또한 팅크웨어는 증강현실 솔루션이 적용된 7인치 거치형 내비게이션 '아이나비 X1 대시 플러스'를 새롭게 출시한다고 밝혔다. 사용자는 아이나비 X1 대시 플러스로 차종·연식에 상관없이 증강현실 솔루션인 '익스트림 AR' 기능을 쓸 수 있다. 이 솔루션은 실사 도로 영상과 경로 정보를 결합하여 실시간 경로 안내를 제공한다. 운전자 기호에 따라 아이나비 3D 지도를 통한 경로 안내도 지원한다.

2021년 팅크웨어는 BMW 본사와 237억원 규모 블랙박스 공급 계약을 체결하기도 했다. 팅크웨어는 최근 내비게이션 사업을 넘어 자율주행 사업으로 분야를 확장하고 있다. 팅크웨어는 2003년부터 이어온 내비게이션 사업 덕에 지도 데이터를 꾸준히 고도화해왔다. 이는 자율주행 분야로 사업을 확장할 수 있는 기반이 됐다. 팅크웨어는 자율주행 솔루션 업체 '포티투닷'에 지도 데이터를 제공 중이다. 현대차, SKT 등이 투자한 포티투닷은 올해부터 서울 상암동에서 레벨4 자율주행 운송 서비스를 시작하는 등 국내 자율주행 시장을 선도하는 기업이다. 팅크웨어는 자율주행 플랫폼을 개발 중에 있다. 지난해 자회사 아이나비시스템즈와 함께 꾸린 컨소시엄이 정부가 주관하는 '레벨4 자율주행차 플랫폼 기술개발 국책과제'에 선정되기도 했다. 56)

56) '아이나비' 팅크웨어, 자율주행 회사로 변신중, 한경증권, 2022.01.12

Extreme AR 도로정보

〈고정식 과속단속카메라 안내〉

〈박스형 과속단속 카메라 안내〉

[그림 66] Extreme AR

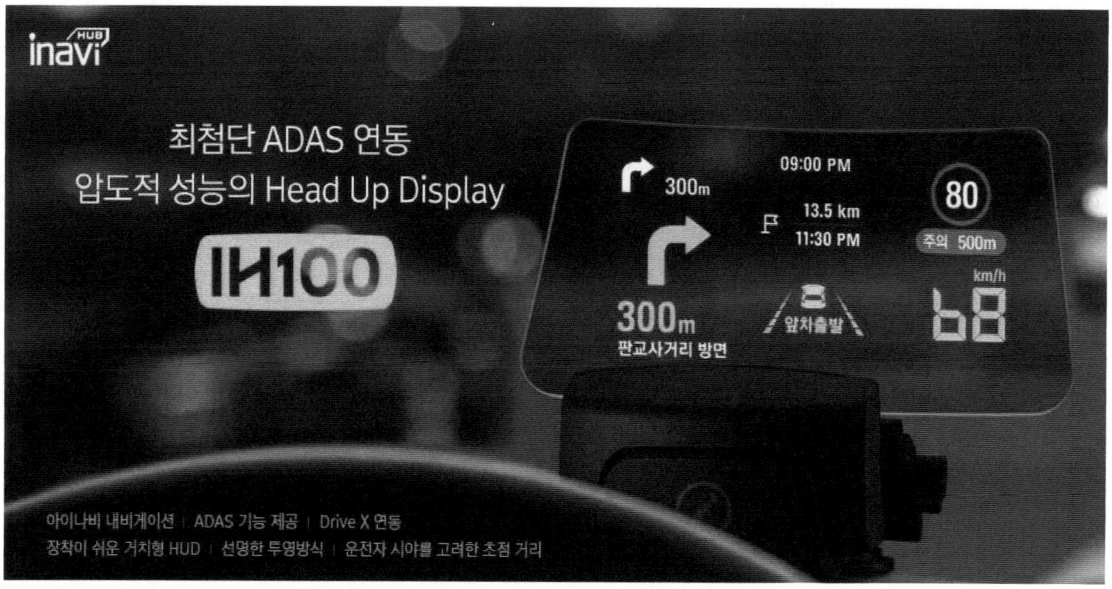

[그림 67] 아이나비 헤드업 디스플레이

항 목	2018/12	2019/12	2020/12	2021/09
매 출 액	1,944	1,822	1,976	546
영업이익	77	78	125	23
당기순이익	19	41	86	18
총 자 산	1,986	2,087	2,254	2,722
총 부 채	532	595	677	1,100
총 자 본	1,454	1,492	1,577	1,622

[표 4] 팅크웨어 재무제표 (단위: 억 원)

2) 덱스터 스튜디오

[그림 68] 덱스터 스튜디오

덱스터 스튜디오는 시각특수효과(VFX) 및 영상콘텐츠를 주력으로 하는 기업으로, 몽키킹 시리즈, 쿵푸요가, 해적, 신과함께 등 다양한 영화의 VFX(Visual Effects: 시각효과)를 담당했다. 덱스터 스튜디오는 LG 유플러스와 함께 네이버 인기 웹툰인 '유미의 세포들'을 증강현실 콘텐스로 제작, 서비스를 시도했다.[57)]

[그림 69] 유미의 세포들 AR 콘텐츠 예시

최근 덱스터스튜디오가 버추얼 프로덕션 스튜디오를 공개했다. 버추얼 프로덕션 스튜디오는 대형 LED 벽에 실시간으로 3D 배경을 투영한 후 배우와 배경을 동시에 촬영할 수 있는 스튜디오다. 이를 이용하면, 시각특수효과(VFX) 작업물을 즉각 반영해 촬영 비용이 절감되며 시공간 제약이 없어 코로나 이후(포스트 코로나) 해외 촬영의 어려움을 해소 할 수 있다. 또 공동작업이 가능한 구조로 전체 공정 시간을 줄일 수 있어 효율적이다.

---

57) LG유플러스-덱스터스튜디오, '유미의 세포들' AR콘텐츠 서비스, 김재원, 디지털 경제뉴스, 2020.05.13

덱스터 스튜디오가 공개한 '디원(D1)'은 버추얼 프로덕션 스튜디오 전담 부서와 LED 스테이지를 동시에 보유하면서 자체 콘텐츠를 기획·제작한다는 점에서 특별하다. 덱스터스튜디오는 버추얼 프로덕션 파이프라인에 필요한 모든 역량을 갖추고자 2년 전 VP본부를 신설, '디원(D1)'을 준비해왔다. VP본부는 보다 세밀하고 전문적인 업무 수행을 위해 프리비즈팀, 언리얼 환경 제작팀, 촬영팀, 개발팀 등으로 나뉘어 운영되고 있다.58)

[그림 70] 버추얼스튜디오 디원

항　　목	2018/12	2019/12	2020/12	2021/09
매 출 액	392	554	263	68
영업이익	20	-53	2	-20
당기순이익	28	-77	-30	-19
총 자 산	808	665	686	883
총 부 채	175	111	113	290
총 자 본	632	553	573	593

[표 5] 덱스터 스튜디오 재무제표 (단위: 억 원)

58) 덱스터스튜디오, 제1호 버추얼 프로덕션 스튜디오 '디원' 공개, 아주경제, 2021.11.10

3) 한빛소프트

[그림 71] 한빛소프트

한빛소프트는 1999년 설립된 이후 '스타크래프트', '디아블로'와 같은 대형 게임을 퍼블리싱한 게임 소프트웨어 개발 및 공급을 주력으로 하고 있는 업체이다. 한빛소프트는 T3엔터테인먼트의 자회사로 게임뿐만 아니라 가상현실(VR) 및 AR, 교육, 헬스케어, 드론, 블록체인 등 다각도로 사업을 전개하고 있다. T3엔터테인먼트는 PC, 모바일, 콘솔 등 다양한 플랫폼의 개발기술을 보유하고 있으며 2008년 5월 한빛소프트의 최대 주주가 되면서 개발과 퍼블리싱의 시너지 효과로 성장해 나가고 있다.

2021년 한빛소프트는 과학기술정보통신부와 정보통신산업진흥원, 한국산업기술평가관리원이 추진하는 정부과제인 ' XR 플래그십 프로젝트'의 소방 분야에 산학 컨소시엄 사업자로 참여한다고 밝혔다. 해당 과제는 2023년 말까지 소방안전관리자용 XR(확장현실) 기반 반응형 교육·훈련과 평가시스템을 개발하는 것이 골자다.

한빛소프트는 실제 대형화재 사례를 기반으로 XR 기술을 적용한 '디지털 트윈' 콘텐츠와 이를 기반으로 한 화재 대응 자격·교육·평가 플랫폼을 구축할 계획이다. 이에, 훈련 참여자들은 실제와 동일하게 구현된 가상의 화재 상황을 마주하고 상황 전파, 신고, 대피유도, 초기 소화, 자위소방대 소집, 본격 소화, 현장 지휘, 소방대 도착 시 정보전달과 협업 등 대응 과정 전반에 대한 미션을 수행하게 된다.

또한, 훈련 결과와 참여자의 반응 등은 데이터화 돼 체계적으로 관리되며 소방안전관리자와 소방기술자 교육과정과 연계할 수도 있다. 한빛소프트는 수요처와 협의한 실증 사업을 통해 피드백을 적극 반영할 계획이다.[59)]

59) 한빛소프트, XR 기술 활용 소방훈련 정부과제 참여, 테크월드뉴스, 2021.07.01

항　　목	2018/12	2019/12	2020/12	2021/09
매 출 액	371.8	435.4	572	190
영업이익	5.9	-2.7	-7	11
당기순이익	-87.1	23.5	-14	1
총 자 산	437.9	431.2	446	552
총 부 채	315.5	268.3	258	357
총 자 본	122.4	162.9	189	195

[표 6] 한빛소프트 재무제표 (단위: 억 원)

4) 맥스트

[그림 72] 맥스트

맥스트는 응용 소프트웨어 개발 및 공급업을 주력으로 하는 업체로 2010년 법인을 설립하여 2012년 벤처기업 인증을 받았다. 맥스트는 CES 2020에서 전시회에서 스마트팩토리와 같은 산업현장에서 AR 기술을 활용한 원격지원 솔루션인 AR서포트(AR Support), AR 매뉴얼 제작 툴인 AR스튜디오(AR Studio)로 구성된 산업용 증강현실(AR) 협업 솔루션(Industrial AR Solution)을 최초 공개했다.

AR Support는 최대 4명이 작업 현장 화면을 공유하는 협업 솔루션으로, Web RTC 기반으로 설계돼 별도의 앱(App) 설치 없이 브라우저에서 실행할 수 있는 점이 특징이다. AR Studio는 사용자가 개별 현장에 맞추어 직접 AR 매뉴얼을 제작할 수 있을 만큼 쉽고 편리하게 설계됐다.[60] 또한 맥스트는 코로나19로 산업 현장에서 어려움을 겪는 기업을 위해 비대면 증강현실 산업용 솔루션인 '맥스워크(MAXWORK)'를 출시했다.

[그림 73] 원격 협업하는 장면

60) 맥스트, 'CES 2020'서 산업용 증강현실(AR) 협업 솔루션 공개, 최태우, ITBizNews, 2019.12.27

맥스워크(MAXWORK) 서비스는 기존 설비관리 작업 매뉴얼을 증강현실 매뉴얼로 전환할 수 있는 AR 매뉴얼 저작 도구(MAXWORK Create)와 이를 통해 현장에서 작업의 정확도와 안전성을 높여주는 AR 매뉴얼 뷰어(MAXWORK Direct), PC/안드로이드/iOS 등 다종플랫폼간 1:N 연결과 AR 스티커, 드로잉 기능 등을 이용하여 원격 협업이 가능한 AR 원격지원(MAXWORK Remote) 세 가지 모듈로 구성됐다.[61]

향후 맥스트는 2022년부터 '개방형 XR 메타버스 플랫폼'을 공개하고 ‘메타버스 포털 서비스’ 및 ‘가상공간 거래 서비스’를 시장에 선보일 계획이다. XR 메타버스 플랫폼은 기존에 가지고 있던 'AR 개발 플랫폼' 사업과의 시너지를 얻음과 동시에 쉽고 빠르게 XR 메타버스를 구축할 수 있는 소프트웨어 플랫폼 시장에 진출하게 된다. 이미 2021년도부터 이 플랫폼을 통해 여러 대기업과의 POC 프로젝트, 정부 사업을 통한 콘텐츠 제작사와의 협업, 그리고 코엑스 개발자 경진대회 등 XR 메타버스를 만들어 내는 플랫폼으로서 시장에서 충분한 레퍼런스를 확보한 상태이다.[62]

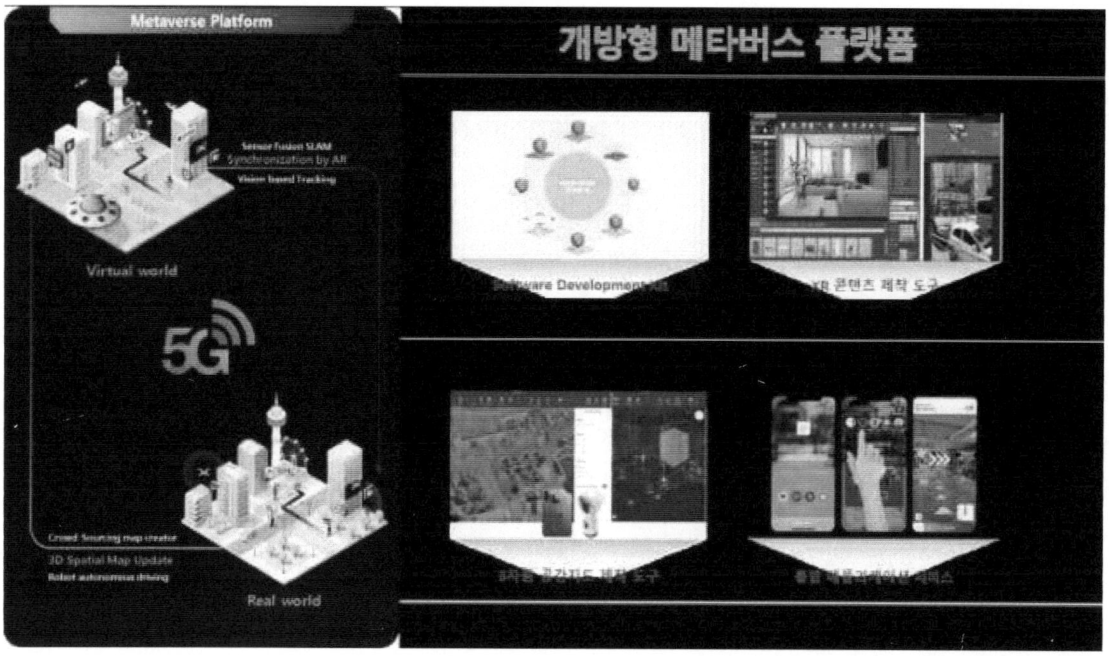

또한 ‘메타버스 포털 서비스’에서는 현실세계의 다양한 산업 분야(예를 들어, 커머스, 은행, 미술관, 박물관, 관공서 등)를 대상으로 포털 서비스 공간을 제공하고, 이와 연결된 실제 현실세계를 체험하게 하는 새로운 개념의 사업이다. 맥스트는 효과적인 포털 서비스를 위해 텔레프레즌스 기능과 아바타 시스템 개발이 완성 단계에 이르렀다고 밝혔다. 맥스트는 2020년 메타버스 플랫폼을 기반으로 ‘가상공간 거래 서비스’를 시장에 선보일 계획이다.

61) 맥스트, 사회적 거리두기 대비한 비대면 증강현실 산업용 솔루션 출시, 김동원, 헬로티, 2020.04.06
62) 맥스트, XR 메타버스 플랫폼 확대 청사진 공개, ZDNet, 2022.01.24

항 목	2018/12	2019/12	2020/12	2021/12
매 출 액	-	12	20	24
영업이익	-	-17	-25	-43
당기순이익	-	-97	-89	-43
총 자 산	-	76	70	186
총 부 채	-	189	26	30
총 자 본	-	-113	44	155

[표 7] 맥스트 재무제표 (단위: 억 원)

5) 어반베이스

[그림 75] 어반베이스

증강현실, 가상현실 전문 스타트업인 어반베이스는 2014년 설립되었으며 데이터베이스 제공, 소프트웨어 개발, 공급, 광고영상 제작, 공급을 주력으로 하고 있다. 어반베이스는 부동산과 기술을 결합한 국내 대표 프롭테크 기업으로 손꼽히며, 건축 도면을 2초만에 3차원 공간으로 자동 변환하는 특허 기술을 기반으로 다양한 사업을 펼치고 있다.

어반베이스는 홈디자이닝 증강현실(AR) 앱 '어반베이스 AR(Urbanbase AR)'를 출시했는데, 인테리어 가구 브랜드가 아닌 국내 플랫폼사가 홈디자이닝 AR 앱을 선보인 것은 이것이 처음이다. 어반베이스는 건축물의 평면도를 2초 만에 3차원으로 재현해내는 특허 기술을 가진 공간데이터 플랫폼으로 현재 전국 아파트단지 가운데 70%의 3D데이터를 보유하고 있다. 어반베이스는 애플 AR키트와 구글 AR코어를 기반으로 한 'Urbanbase AR'은 특정 브랜드가 아닌 전문가가 엄선한 트렌디한 가구 및 인테리어 브랜드의 제품을 3D로 구현해 집, 사무실, 학교 등에 마치 실제로 있는 듯이 배치해 볼 수 있는 것이 가장 특징이다.

Urbanbase AR은 90% 이상의 정확도로 사물의 질감을 정밀히 표현하며, 주변 조도에 따라 제품의 밝기를 자동으로 조정해 실제와 최대한 가까운 인테리어 환경을 구현할 수 있다. 63)

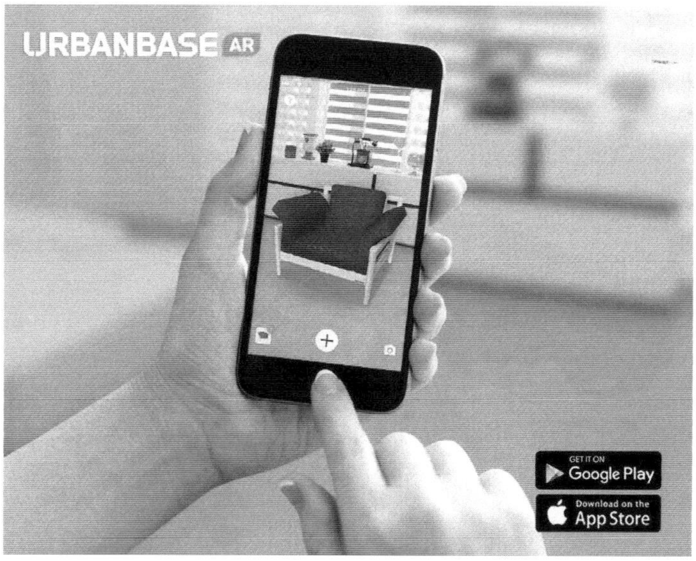

[그림 76] 어반베이스 AR

63) 어반베이스, 홈디자이닝 AR 앱 출시, 플래텀, 2018.01.29

최근 어반베이스는 3D 인테리어부터 시공까지 한 번에 가능한 올인원 인테리어 플랫폼 '어반베이스'를 출시했다. 이번에 선보인 어반베이스는 다년간 축적해온 기술과 B2B 서비스 운영 노하우가 집약된 통합 인테리어 서비스다. 우리집 시뮬레이션부터 시공까지 연결된 경험을 제공한다.

별도 다운로드나 설치 없이 포털사이트에 '어반베이스'를 검색해 바로 이용할 수 있다. 원하는 공간을 미리 꾸며볼 수 있는 '3D 스튜디오'와 꾸민 공간을 현실에 구현해 줄 시공 전문가를 만나는 '인테리어 상담' 기능으로 구분된다.

'3D 스튜디오' 에서는 우리집 3D 도면으로 집을 꾸며보며 인테리어 후의 모습을 미리 보기 할 수 있다. 3D 도면은 지도에서 아파트 주소를 검색해 단 몇 초 만에 불러올 수 있고, 도면이 없는 경우 실측 수치를 입력해 3D 도면을 직접 만들어 활용할 수도 있다. 가상 공간이 만들어지면 3D 스타일링을 시작한다.

시중에 유통되고 있는 가구와 가전, 마감재 등을 모두 활용해 집을 꾸며볼 수 있고, 커스텀 기능을 통해 제품의 사이즈, 컬러 등을 자유롭게 조절하며 시뮬레이션이 가능하다. 특정 제품에 한해서는 AR 기능도 제공한다. 3D 스타일링 과정에서 마음에 드는 제품을 발견하면 AR QR코드를 스캔해 실제 공간에 배치해보고 '공간-제품 핏(fit)'을 확인할 수 있다.[64]

[그림 77] 3D 스타일링 구현 이미지

64) 어반베이스, 올인원 인테리어 서비스 론칭, 아이뉴스24, 2021.11.15

6) 시어스랩

[그림 78] 시어스랩

시어스랩은 2014년 설립된 스마트폰 카메라로 사물이나 공간을 비추면 AR 이미지가 떠오르는 기술과 콘텐츠를 개발하는 업체로, LG유플러스의 'U+AR', KT의 영상통화 앱 '나를(narle)', SK텔레콤의 OTT(온라인동영상서비스) '옥수수' 등에 시어스랩의 솔루션이 적용됐다.65)

현재 구글이나 애플은 AR 앱을 만들 수 있는 툴을 제공하고 있다. 그렇다면 국내에서는 이러한 툴을 제공하는 업체가 없을까? 이에 대한 답은 아니다 이다. 바로 시어랩스가 이 분야에 있어 토종 원천 기술을 보유하고 있기 때문이다. 하지만, AR 툴 만으로 경쟁한다면 방대한 데이터를 활용할 수 있는 구글、애플과 경쟁이 힘들다. 하지만, 시어스랩은 여기에 바로 가져다 쓸 수 있는 콘텐트까지 제공한다. 시어스랩은 디즈니, 픽사, SM엔터테인먼트 등 200여개의 IP(지적재산권) 판권을 확보했고, 6000개 이상의 AR 콘텐트를 제작해 글로벌 시장에 유통하고 있다. 또한 향후 개발자 누구나 틱톡이나 스노우 같은 앱을 만들 수 있는 AR 제작 툴(SDK)과 바로 가져다 쓸 수 있는 콘텐트를 공급하는 'AR 기어' 플랫폼을 국내 출시할 예정이다. 66)

최근 시어스랩은 현실·가상을 실시간으로 연결하는 개방형 메타버스 플랫폼 '미러시티(Mirror City)'의 베타(시험) 버전을 출시했다. 미러시티(Mirror City)는 이름 그대로 실제 생활 환경의 사람, 사물, 환경을 메타버스 공간에 실시간으로 미러링(Mirroring·연결)해 언제 어디서나 또 하나의 가상 세계(미러시티)에서 다양한 온·오프라인 활동을 할 수 있도록 한 것이다. 이를 위해 시어스랩은 미러시티의 사용성(UX)을 더 직관적으로 만드는 데 집중했다.

향후 출시될 상용 서비스에서는 사용자들이 아바타뿐만 아니라 직접 만드는 3D 공간, 창작물의 배치·거래가 가능하다. 또한 위치기반 증강현실(Spatial AR), 전자상거래 증강현실(Commerce AR) 기술을 활용해 실제 사용자가 있는 곳에서도 미러시티의 콘텐츠를 오프라인으로 실시간으로 소비할 수 있는 환경을 제공한다. 미러시티에서 구매한 상품을 오프라인 배송을 통해 받아볼 수 있도록 하는 식이다.67)

---

65) [Go! 스타트업] "AR 콘텐츠가 미래… 도이치텔레콤도 깜짝 놀랐죠", 박원익, 조선비즈, 2019.07.30
66) "코로나로 AR시대 확 당겨졌다…부동산、쇼핑、수학여행까지 대체할 것", 김경진, 중앙일보, 2020.04.23
67) 시어스랩, CES 2022서 메타버스 플랫폼 '미러시티' 첫선, 조선비즈, 2021.12.30

7) 웅진씽크빅

[그림 79] 웅진씽크빅

웅진씽크빅이 증강현실(AR) 독서 서비스로 국내 교육 기업 최초로 세계 최대 가전 전시회 'CES 2022 혁신상'을 수상했다. 이번에 상을 받은 증강현실 독서 서비스 '인터랙티브북'은 웅진씽크빅이 미국과 국내에서 취득한 9건의 AR특허기술이 적용된 증강현실 독서서비스다. 책 속의 캐릭터와 그림, 사진 등이 증강현실로 펼쳐져 독서를 할 수 있다. 증강현실 기술 기반으로 소방관이 돼 불을 끄는 직업 체험이나 과학실에서 개구리를 해부하는 실험 등도 간접 체험할 수 있다.[68]

[그림 80] 웅진씽크빅 증강현실 독서 서비스

---

68) 웅진씽크빅, "증강현실 기반 독서로"…업계 첫 CES 2022 혁신상, 서울경제, 2021.11.11

항　　목	2018/12	2019/12	2020/12	2021/12(E)
매 출 액	6,429	6,522	6,461	7,850
영업이익	340	217	140	340
당기순이익	223	-1,506	4	490
총 자 산	6,533	24,536	6,661	7,180
총 부 채	3,343	19,818	2,914	3,350
총 자 본	3,190	4,718	3,747	3,830

[표 8] 웅진씽크빅 재무제표 (단위: 억 원)

나. 국외 기업

1) 매직리프(Magic Leap)

[그림 81] 매직리프

미국의 벤처기업 '매직리프'는 증강현실기업으로서, 증강현실기술을 개발하고, 기술을 적용한 제품을 개발해 특허를 내는 등의 사업을 추진하고 있다. 매직리프의 증강현실 기술은 사용자가 인공객체와 실제 객체 간의 차이를 느낄 수 없도록 사용자만을 위한 고해상도 3D 이미지가 사용되며, 실제 사물을 보는 방식과 유사하게 보여 지도록 수많은 초소형 프로젝터를 통해 사용자의 두 눈에 동시에 투사되도록 만든다.

매직리프는 가상의 이미지를 자연스럽게 연출하는 '포토닉스 라이트 필드(Photonics light field)'기술을 보유하고 있는데, 이는 단말에 탑재된 소형 프로젝터가 투명한 렌즈에 빛을 비춰 망막에 닿는 빛의 방향을 조정함으로써 컴퓨터가 만들어낸 가상의 객체를 현실 세계의 물체처럼 구현하는 매직리프의 핵심 기술이다.[69)]

최근 매직리프(Magic Leap)가 새로운 AR 헤드셋 '매직리프 2'를 의료 기업을 대상으로 출시 예정을 밝혔다. 이는, 2022년 중반부터 광범위한 가용성이 기대되고 있다. 최근 보도 자료에서 매직리프는 신제품에 액세스할 수 있는 4개의 의료 파트너로 임상 데이터 시각화 회사 센티AR(SentiAR), 신경 기술 회사 씽크싱크(SyncThink), 진단 회사 헤루(Heru) 및 수술 소프트웨어 도구 브레인랩(Brainlab)을 지정한 사실을 공개했다. 매직리프는 헤드셋을 훈련에 사용할 수 있는 군에도 관심을 가진다. 이 회사는 이전에 마이크로소프트의 경쟁사인 홀로렌즈 헤드셋으로 가는 미 육군 계약을 추진했었다.

매직리프는 일반 소비자 헤드셋 회사로서 수십억 달러를 모금했지만, 이 회사는 대규모 정리해고 사태 속에서 2020년에 계획을 급격히 축소했고 이전의 CEO 로니 아보비츠를 존슨으로 교체했다. 매직리프는 주요 헬스케어 업체인 존슨앤드존슨을 포함한 다른 기업들로부터 인수 제의를 받은 것으로 알려졌으나, 결국 엔터프라이즈 애플리케이션을 위한 5억 달러의 자금을 조달했다.[70)]

---

69) https://travel.plusblog.co.kr/

70) 증강현실 헤드셋 기업 매직리프, 진단·수술·신경 등 의료분야 '정조준', 글로벌이코노믹, 2022.01.13

2) 마이크로소프트(MS)

[그림 82] 마이크로소프트

마이크로소프트는 1975년 빌 게이츠(BillGates)가 폴 앨런(PaulAllen)과 함께 설립한 다국적 기업이다. 본사는 미국 워싱턴 주(州) 레드먼드 시에 있으며, 컴퓨터 기기용 소프트웨어 및 하드웨어를 개발·판매한다. 주요 사업 분야는 윈도 운영체계, 윈도 서버시스템, 온라인서비스, 비즈니스용 소프트웨어, 엔터테인먼트 및 모바일 디비전 등이다.

최근 마이크로소프트는 삼성전자와 AR 홀로렌즈 프로젝트에 착수했다. 이번 프로젝트는 오는 2023년까지 진행된다. 프로젝트 결과물은 이르면 2024년께 볼 수 있을 전망이다. 이번 AR 홀로렌즈 프로젝트는 앞서 삼성전자의 미국 AR 기업 디지렌즈 투자와도 관련성이 큰 것으로 추정된다. 디지렌즈는 스마트글래스 등 AR 디스플레이 기기에 필요한 '웨이브가이드'(Waveguide:광도파로) 기술로 유명한 업체다. 웨이브가이드 기술은 디스플레이 장치에서 나온 빛(영상)을 꺾어서 사용자가 보는 글래스(렌즈)에 투사하는 기술이다. 스마트글래스 등 AR 기기는 현실세계에 가상세계를 덧입히기 때문에 글래스가 투명해야 하고, 디스플레이 장치는 사용자 눈 옆 등에 위치한다.71)

최근 마이크로소프트는 미 육군의 홀로렌즈 기반의 증강현실 헤드셋을 218억8000만달러(약 24조 6800억원) 규모에 공급하기로 했다. 마이크로소프트는 향후 10년동안 미 육군에 마이크로소프트의 홀로렌즈 기술과 애저 클라우드 컴퓨팅 기술에 기반한 증강현실 헤드셋을 공급한다며 본격적인 생산단계에 진입했다고 밝혔다.

마이크로소프트에 따르면 증강현실 헤드셋은 미 육군이 작전 수행 중에 첨단 기술을 통해 상황 인식을 향상시키고 다양한 시나리오에서 정보공유, 의사결정이 가능해진다. 가령 보병들은 실제 환경에서 더 많은 정보를 얻을 수 있고 손동작, 음성으로 증강현실 기기 제어도 가능하다.72)

71) 삼성전자-MS, 'AR 홀로렌즈 프로젝트' 착수, The Elec, 2021.12.06
72) 마이크로소프트, 美 육군에 '첨단 AR 헤드셋' 공급…24조원 규모, 조선비즈, 2021.04.01

3) 애플(Apple)

[그림 83] 애플

애플은 미국의 소프트웨어 및 컴퓨터 하드웨어를 개발, 제작하는 업체로 최초의 개인용 컴퓨터를 만든 회사이다. 애플은 우리에게 아이폰, 아이패드 등으로 더욱 친숙한 기업이다.

애플은 아이폰 이후의 비전 실현을 위한 차세대 먹거리로 AR을 지목했다. 2017년 WWDC에서 iOS11에 AR 기능을 추가하고, ARKit를 공개하며 본격적인 시장 진출을 알렸다. 애플은 이미 전 세계적으로 13억대의 iOS 디바이스 플랫폼을 보유하고 있다. 스마트폰 중심의 활성화가 예상되는 AR시장에서 동사의 지속적인 경쟁력이 기대되는 이유다.

애플의 AR시장 지배력을 위한 핵심은 ARKit다. ARKit는 iOS에서 AR앱 개발을 도와주는 프로그램으로, 2017년 WWDC에서 처음으로 공개된 이후 기술 고도화가 지속되며 최근에는 게임 엔진 개발사의 영역까지 공략한다는 평가가 이어지고 있다. 향후 AR앱 시장의 활성화와 함께 동사 서비스 부문 성장에 기여할 것으로 판단된다.[73)]

최근 애플이 증강현실 웨어러블 기기를 출시해 메타버스 대중화를 이끌 것이라는 전망이 발표되었다. 이는 바로 애플 AR헤드셋으로, 애플은 가상의 3D(3차원) 공간에서 사용자 경험을 한층 높여줄 AR헤드셋으로 새로운 승부수를 띄우고 있다.

애플 애널리스트에 따르면 향후 10년 내 아이폰이 AR헤드셋으로 대체될 전망이다. 애플은 AR/VR 개발자를 지속적으로 채용하고 있으며 메타이오, 페이스시프트, 리얼페이스, 넥스트VR 같은 스타트업도 인수해 관련 역량을 강화해왔다. 최근에는 메타(옛 페이스북) 가상현실 홍보 담당자를 스카우트해 제품 출시가 임박했음을 알렸다.

애플이 지난 10여 년간 AR/VR 기술로 획득한 특허 출원 내용을 살펴보면 AR헤드셋 준비 과정을 엿볼 수 있다. 2008년 초기 고글 모양 헤드셋과 AR 기술을 구현하는 특허를 출원한

---

73) VR/AR, 비현실의 현실화, 삼성증권, 2019.07.12

데 이어, 가장 최근인 지난해 2월에는 디자인 요소, 렌즈 조정, 시선 추적 기술, 소프트웨어 제어 시스템 등 애플 AR헤드셋 관련 특허를 여러 개 출원했다.

AR헤드셋은 무게를 줄이고 착용감을 높이는 게 포인트다. 먼저 얼굴에 직접 닿는 부위는 에어팟 맥스와 유사한 니트 메시 소재를 사용할 예정이다. 초기 모델은 쿨러 팬과 프로세서(CPU) 탑재로 무게가 꽤 나갔으나, 헤드셋을 얼굴에 더 밀착시키면서 크기가 줄었다. 최근 완성한 프로토타입(시제품) 무게는 200~300g이며, 최종 출시 무게는 100~200g가량 될 것으로 예상된다. 그래야 실용성도 올라간다.

애플 AR헤드셋은 사용자 시선의 방향과 초점을 식별하며 제어장치를 통해 눈앞에 나타난 정보들을 분석한다. 헤드셋을 착용하면 보안 유지와 함께 빛이 차단되고 렌즈가 사용자에 맞춰 세밀하게 조정된다. 해외 IT(정보기술) 전문매체 '디인포메이션'에 따르면 애플 AR헤드셋은 맥(Mac)에 사용된 M1 CPU보다 더 빠른 칩을 탑재할 것으로 예상된다. AR/VR를 구현하는 데 뛰어난 성능의 컴퓨팅 사양이 필요하기 때문이다. 또 시선 추적 기술을 지원하는 4K 또는 8K 고해상도 디스플레이를 탑재한다. 이에 애플은 대만 반도체회사 TSMC와 협력해 1인치 미만의 고해상도 마이크로 OLED(유기발광다이오드) 디스플레이를 개발하고 있다.

AR헤드셋 외부에는 현실감을 높이기 위해 10개 이상 카메라를 탑재할 방침이다. 여기에는 생체 인식, 환경 감지 등에 필요한 모듈도 포함된다. 카메라와 3D 감지 모듈은 사용자의 손 제스처와 주변 물체를 파악하고 음성 제어, 피부·공간·표정 변화 등을 감지해 헤드셋을 제어한다.

최근 애플의 특허 출원 내용을 살펴보면 손가락에 장착하는 햅틱 장치도 개발 중이다. 적외선으로 사용자 시선을 감지하는 추적 시스템과 가상 3D 공간에서 문서를 편집하는 제스처 감지 기술로 만들어지는 장치다. 헤드셋과 함께 손가락에 햅틱 장치를 착용하면 가상공간에서 방향 조정이나 문자 타이핑, 클릭 등을 자유롭게 할 수 있다.[74]

74) "애플 AR헤드셋, 10년 안에 아이폰 대체한다", 주간동아, 2022.01.13

4) 구글(Google)

[그림 84] 구글

구글은 '페이지 랭크'라는 독자적인 검색 알고리즘을 개발해 검색 시장을 장악하고 성장한 세계 최대 인터넷 검색 서비스 회사다. 구글은 전 세계 60개국 이상에 지사를 두고, 130개가 넘는 언어로 검색 인터페이스를 제공하고 있다.

과거 탱고를 통한 구글의 AR 시장 선점 전략은 애플이 2017년 2월에 ARKit를 출시하면서 수정이 불가피해졌다. 탱고는 별도의 3D 센서와 카메라를 가진 전용 스마트폰을 필요로 한다. 정교한 3D 센싱이 가능하지만 별도의 스마트폰 보급이 선행되어야 하는 점은 확산에 걸림돌이었다. 하지만 애플이 공개한 ARKit는 탱고와 달리 별도의 스마트폰을 필요로 하지 않는다. 또한, 기존의 아이폰에서 구동이 가능하기 때문에 이미 완성된 iOS 생태계를 활용할 수 있다는 강점이 있다. 당연히 확산 측면에서도 유리하다.[75]

결국 구글은 2017년 8월 안드로이드 플랫폼에서 작동이 가능한 ARCore를 출시했다. 구글이 공개한 'ARCore'는 안드로이드 사용자들을 위해 AR기능을 도입할 수 있는 가능성을 시사한다. 구글'ARCore'을 이용하면 추가적인 센서나 하드웨어를 별도로 구매하지 않더라도, 기존 기기를 포함한 최신 안드로이드 기기에서 AR기능을 이용할 수 있다.[76]

구글 글라스(Google glass)는 구글이 만든 '스마트 안경'으로, 증강현실(AR) 기술을 활용한 웨어러블 컴퓨터다. 스마트폰처럼 안드로이드 운영체제(OS)를 통해 사진도 찍고 인터넷 검색도 하며 길 안내도 받을 수 있다.[77]

구글은 증강현실이 본격적인 성장을 이뤄낼 수 있는 티핑포인트에 왔다고 판단하고 다양한 증강현실 프로젝트를 진행하고 있다. 먼저, 구글 맵스에 포함돼 있는 증강현실 기능이다. 한국에는 도입돼 있지 않지만 인도나 일본 북미에서 지난여름부터 나온 이 기능은 지도를 켜고 특정 지명을 검색해 목적지까지 걸어가면 증강현실을 통해 표지판이 뜬다. 본 기능을 이용하면 궁극적으로 표지판이 없는 도시에서도 길을 찾아갈 수 있으며 도시 내부가 매우 복잡한 인도나 (표지판이 영어로 쓰여 있지 않은) 일본 도쿄 뒷거리 같은 곳도 외국인들이 찾아갈 수 있게 될것으로 전망된다.

---

75) VR/AR, 비현실의 현실화, 삼성증권, 2019.07.12
76) 외계인의 IT 플래닛
77) 조유진, 「구글의 사이보그 '구글 글라스'의 모든 것」,

다음으로, '가상 립스틱'과 같은 코스메틱 제품을 증강현실로 적용해보는 서비스다. 현재 유튜브에서 가장 인기 있는 영상 중 하나는 사람들에게 화장을 잘하는 방법을 알려주는 것인데, 본 서비스를 이용하면 증강현실을 적용해 내 피부색에 맞는 립스틱 색깔을 미리 맞춰 볼 수 있다. 현재 이 기능은 구글뿐만 아니라 페이스북도 자사가 개발한 증강현실 플랫폼 '스파크 AR'를 통해 개발 중이다.

마지막으로 구글렌즈를 통한 증강현실 구현 기능이다. 본 기능을 이용하면 해외에 갔을 때도 알아듣기 어려운 현지 언어로 된 현금자동인출기(ATM)나 버스 안내판, 팸플릿 등에 구글렌즈를 가져다 대면 자동으로 쉽게 번역할 수 있다. 이는 국내에서도 네이버가 `파파고렌즈` 등을 통해 일부 내놓은 기능이기도 하다.[78)]

최근 구글이 증강현실(AR) 헤드셋을 개발하고 있다는 소식이 나왔다. 보도에 따르면 구글이 개발 중인 AR 헤드셋은 가상 이미지와 실제 세상을 혼합해 보여주기 위해 바깥쪽을 향하는 카메라를 탑재하고 있으며, 스냅이나 매직 리프 등 기존 AR 글래스들보다 보다 몰입적있는 혼합현실(MR) 경험을 구현할 수 있다. 이 AR헤드셋의 디자인은 스키고글과 유사한 형태로 스마트폰 등 외부 기기와의 연결이 필요 없는 것으로 알려졌다. 이 제품은 아직 초기 개발 단계에 있으며, 구글이 개발한 맞춤형 구글 프로세서를 탑재하고 안드로이드에서 실행되는 것으로 알려졌다. 이 제품은 빠르면 2024년 출시될 예정이다.[79)]

78) 구글맵스에 증강현실 접목…세계 어디든 여행 쉬워지죠, 신현규, 매일경제, 2019.10.13
79) 구글도 AR 헤드셋 만든다…"2024년 출시 유력", ZDNet, 2022.01.21

5) 스페이셜

Spatial

[그림 85] 스페이셜

스페이셜은 2010년 3D 소프트웨어 '범프탑(Bumptop)'을 구글에 매각한 아난드 아가라왈라 대표, MIT미디어랩과 삼성전자 연구원 출신의 이진하 공동창업자(최고제품책임자, CPO)를 중심으로 설립된 기업이다. 스페이셜의 제품은 기존 원격 화상회의를 넘어 3D 아바타 이미지를 활용하여 같은 공간에 실제로 존재하는 듯한 환경을 구현한 것이 특징이다. 스페이셜 내 특정 가상 공간에서는 사진, 영상, 문서를 띄우거나 3D 아이템을 불러와 함께 보면서 대화를 나눌 수 있다.

[그림 86] 스페이셜 솔루션을 통한 아바타 회의

스페이셜이 새롭게 선보이는 메타버스 갤러리 서비스는 이용자를 꼭 닮은 실감나는 아바타와 공유 공간을 통해 창작자와 수집가들이 자유롭게 교류할 수 있는 가상공간이다. 이더리움 지갑인 메타마스크가 연동된 창작자와 수집가들은 간단하게 클릭 몇 번이면 디지털 아트를 액자에 걸어 전시할 수 있다. 또한 별도의 프로그램 다운로드 없이도 링크 공유를 통해 웹, 모바일, VR 등 원하는 채널로 새로운 이용자들을 유입시킬 수 있다. 스페이셜에 따르면 이러한 접근성으로 신규 서비스 출시 2달 만에 사용량이 4배 증가했다.[80]

[그림 87] 스페이셜의 새로운 메타버스 갤러리 플랫폼

80) "300억 투자 유치" 스페이셜, NFT 거래 가능한 메타버스 갤러리 공개, 매일경제, 2021.12.15

05

증강현실 가이드라인 현황

5. 증강현실 가이드라인 현황

가. Telecommunication Srandardization Sector of ITU[81)]

최근 ITU-T(Telecommunication Srandardization Sector of ITU)에서는 VR·AR 서비스 경험의 질에 영향을 미치는 요인에 대한 연구가 이루어졌다. 이 연구에서는 VR·AR 이용 경험에 크게 영향을 미치는 요인 Human, System, Context로 분류했다.

① 인체 영향 요인 (Human influencing factor)

	내용
시각과 청각	• Vision: 원근 조절이상, 초점이나 색채이탈 • hearing: 높은 주파수로 인한 청각 손상
시뮬레이터 멀미	• HMD의 수렴조절 불일치로 인한 피로, 어지러움, 구토, 눈피로, 초점문제 증상
몰입	• VR 시스템 이용하는 수준에 따라 차이가 있음
기대수준/숙련정도	• 이용자의 기대수준과 VR、AR 기기에 대한 숙련정도에 따라 차이가 있음

[표 9] 인체 영향 요인

② 시스템 영향 요인 (System influencing factor)

	내용
콘텐츠 관련	• Spatial audio: VR 장면에 부합하는 공간 사운드 사용정도 • Spatial depth: 높은 비트율을 지닌, 3차원 입체적인 영상, 그래픽 • Spatiotemporal complexity: 시공간적 표현의 복잡성 정도
미디어 관련	• Compression : 콘텐츠 압축 코덱 • Storage and transport: 이용자의 시선에 따라 콘텐츠가 바뀔 수 있도록 하는 저장, 전송코덱 (MPRG 포맷 등) 필요 • Bitrate: 높은 해상도, 높은 프레임레이트, 낮은 압축률은 비트레이트를 높임 • Resolution: 360도 3D VR 콘텐츠는 원래 해상도의 25%만 볼 수 있다는 것 고려 • Frame rate(refresh rate): 360 비디오 구현 시에는 낮은 프레임 속도, 3D 그래픽은 높은 프레임 속도 제작 • Audion sample rate • Coding delay: 비디오와 오디오 싱크 일치를 위해 낮은 지연

[표 10] 시스템 영향 요인

81) VR·AR 디바이스 제작·이용 가이드라인 2020, 정보통신산업진흥원

	내용
네트워크/전송관련	• VR 서비스를 이용할 때 발생하는 네트워크 문제 • Delay: 대기지연, 실행지연, 버퍼링 지연 등을 포함. 50ms 이하로 지연시간 낮추는 것 권장 • Bandwidth: 광대역 통신망을 사용하더라도 전송중에 콘텐츠 질이 낮아질 수 있음. 네트워크에 의한 지연, 손실이 적도록 광대역 통신망 이용 권고 • Loss: 전송과정에서 발생 할 수 있는 패킷 손실. 광대역 통신망 사용 권고
하드웨어 관련	• VR 하드웨어는 HMD, 헤드폰, 햅틱 디바이스, 콘트롤러, 트랙킹 시스템 등을 포함 • Head-mounted display: 무게, 사이즈, 열발산, 해상도, 재생율이 콘텐츠 이용에 영향을 미침 • Decoder performance: encoding 된 것과 같은 코덱으로 decoding 되는 것을 권고 • Head-tracking: 낮은 헤드트랙킹 지연과 반응 트랙킹 정확도 필요 • FOV: 넓은 FoV는 몰입도를 증가시킴 • 낮은 PPD 는 스크린 도어 이펙트 유발 • Refresh rate: 낮은 재생률은 처리속도

[표 11] 시스템 영향 요인

③ 주변 환경 영향력 요인 (Context influencing factors)

	내용
물리적 환경	• VR 서비스를 이용 하고 있는 공간에 대한 것 • 이용하는 콘텐츠에 따라 적절한 사이즈의 공간 확보 필요
시간 요인	• 이용자의 사용 빈도와 사용 시간에 대한 것 • 한번에 이용하는 시간이 길수록 공간 감각, 눈통증, 구토 증상이 발생할 수 있음
사회적 환경	• VR 콘텐츠를 어떤 사람들과 이용하는가에 대한 것 • 가족, 친구 등 누구와 함께 이용하가에 따라 만족도가 다름
이용목적	• VR 이용 목적에 따라 VR 경험이 다름 • 스트리밍 VR, 360도 영상 VR / 게임 VR, 소셜 VR 등 목적에 따라 필요한 사항이 다를 것으로 예측

[표 12] 주변 환경 영향력 요인

나. 의료목적 가상증강현실 기술이 적용된 서비스에 대한 가이드라인

식약처에서는 2018년 의료목적으로 가상증강현실 기술이 적용된 서비스에 대한 허가·심사를 목적으로 관련 가이드라인을 제시했다. 의료 목적으로 가상증강 현실 서비스를 이용 및 제작하는 경우 이용자의 신체적 안전성이 가장 중요하기에 이를 충족시키기 위한 가이드라인을 도출한 것이다. 이에, 가이드라인에서는 연령별, 대상별 사용시간을 명시하고, 병원 내에서 단일 기기를 여러명이 사용할 경우 감염 등의 위험을 최소화하는 방법을 명시**했다**.

① 안전성 검증

	내용
하드웨어	① 가상증강현실 적용 의료기기를 사용하는 중간에 조작자 또는 환자가 긴급한 상황에서 종료할 수 있는 비상정지 장치 또는 이에 대응할 만한 기능 설계나 준비가 되어 있어야 함 ② HMD 착용에 따른 안전성 • HMD 착용에 따른 불편함(머리/안면 압박에 의한 통증 등)을 최소화하도록 설계 및 제작되어야 함. • 발광 및 발열로 인한 화상 및 안과적 안전문제(광과민성 반응 등)이 발생하지 않도록 설계 및 제작 되어야 함 • HMD 착용으로 인한 주변 이미지의 변화나 왜곡으로 불편함이 없어야 함
소프트웨어	① 가상증강현실 적용 소프트웨어의 경우 기존 소프트웨어 등급 기준을 따르되, 특성에 따라 제조사에서 해당 소프트웨어의 사이버 멀미 및 피로도 유발 정도 등의 정보를 제공해야 함

[표 13] 안전성 검증

② 성능 및 임상적 유효성 검증

	내용
물리적 환경	• 정의: 가상증강현실 트래킹이 실제 값과 얼마나 가까운지 나타내는 기준 • 기준: ① 가상공간에서의 사용자 위치 트래킹이 가능해야한다. ② 증강현실을 이용한 수술용 장치에서 네비게이션 장비의 위치 지정 정확도는 영상과 환자의 정합 정확도에 의해 결정되며 오차는 2mm 이내를 만족해야 한다. ③ 증강현실에서 가상객체가 실제공간에 정합되는 정확도는 수mm이내여야 한다.

[표 14] 성능 및 임상적 유효성 검증

	내용
사회적 환경	• 정의: 사용자의 시선과 동작을 반영하여 가상의 영상으로 갱신하는 속도 • 기준 ① 별도 입력장치가 없는 경우 반응속도는 20ms 이내여야 한다. ② 별도 입력장치가 없는 경우 반응속도는 60ms 이내여야 한다.
이용목적	① 화각(Field of view): HMD 장비에서 보여주는 영상의 시야각도로 표시. 실제 시야각과 가상 시야각은 가능한 일치해야 한다. ② 해상도(Resolution): 제조사는 HMD 장비에서 보여주는 영상의 해상도를 가로 x 세로 픽셀의 개수로 제시하여야 한다 ③ 프레임률(Frame rate): 가상현실 소프트웨어의 초당 프레임은 30fps, 그래픽 기반(사용자 인터랙션)의 경우 60fps 이상이어야 한다.

[표 15] 성능 및 임상적 유효성 검증

다. 휴먼팩터에 따른 VR·AR 이용 및 콘텐츠 제작 가이드라인

한국교육학술정보원에서는 2018년 교육 현장에서 VR·AR 기술을 적용하기 위해 사용성과 효과성에 영향을 미치는 휴먼팩터 분석을 통해 교육 현장에 적합한 가이드라인을 도출하여 실제 교수 과정에 이를 적용, 사용 목적을 달성할 수 있도록 유도하고 있다. 이 연구에서는 이용 전, 이용 중, 이용 후로 휴먼팩터에 따른 가이드라인을 도출하였고, 교육 시 관리자를 위한 체크 리스트를 포함하고 있으며, 이에 따른 콘텐츠 개발 가이드라인을 도출하여 연령과 목적에 부합하는 안전한 콘텐츠 개발을 도모한다.

① 이용자 안전 가이드 라인

	내용
이용기기	• 이용연령, 착용방법, 조작방식 확인 • 기기의 크기와 무게가 이용자의 신체적 특징에 적절한지 확인 • VR 기기 충분히 충전 • 13세 미만의 어린이들의 이용 자제 권고
활용공간	• 앉아서 이용하는 방식인 경우: 좌석기준 양팔 반경정도 공간 확보 • 서서하는 방식인 경우: 이용자 중심으로 최소 2m 공간 확보 • 연결선이 있는 경우 천정이나 벽면 통해 연결 • HMD 착용후 다른 사람의 관리감독 상태에서 활용하는 것 권고
위생	• VR 기기와 얼굴이 직접 닿지 않도록 VR 마스크 활용할 것 권고 • VR 기기를 소독티슈나 제품으로 닦아줄 것 권고
건강상태	• 이용전 건강상태 확인 • 이용자의 건강상태를 자가진단하고 내용에 대한 사전동의를 받는 것 권고 • 아용자가 원하는 시점에 콘텐츠를 중단하는 방법에 대해 사전에 고지할 것 권고

[표 16] 이용자 안전 가이드 라인 - 이용전

	내용
건강 및 인지상태 점검	• VR 콘텐츠 이용자가 멀미, 어지러움증, 두통 등의 신체적 이상을 호소할 경우 즉시 중단하고 휴식을 취할 것 권고 • VR 기기에서 과도한 열이 발생하여 땀이 차거나 눈이 따끔거릴 경우 즉시 중단하고 휴식을 취할 것 권고

[표 17] 이용자 안전 가이드 라인 - 이용중

	내용
이용상태 점검	• 초보자인 경우 쉬운 난이도에서 점차 높은 수준으로 사용하도록 권고 • VR 콘텐츠는 휴식 없이 연속적으로 20분 이상 사용하지 않도록하고 20분 마다 휴식을 취하도록 지도함 • 이용자의 VR 기기 화면을 모니터링하여 이용자가 핵심 내용을 보거나 경험하는지 확인할 것 권고
기기상태 확인	• VR 관리도구를 활용하여 VR 기기의 실행이나 콘텐츠를 제어함 • 콘텐츠 내에 과부하에 의한 발열에 대한 정보 및 경고문구가 제시되는 경우 즉시 사용을 중지함

[표 18] 이용자 안전 가이드 라인 - 이용중

	내용
건강 및 인지상태 점검	• 이용 후 건강상태 확인을 위한 체크리스트 작성 • VR 콘텐츠 이용자가 신체적 이상을 호소할 경우 휴식을 취할 수 있도록 조치함 • 가상과 현실 간의 인식의 혼란이 없도록 관리자가 주지시킴
기기상태 확인	• 파손여부 확인 • 소프트웨어 오류 확인 • 기기 본체 및 패드 세척 • 컴퓨터 연결선 정리

[표 19] 이용자 안전 가이드 라인 - 이용후

② 콘텐츠 개발 가이드라인

	내용
연령 성별	• 콘텐츠 등급: 심의 연령 기준준수 • 기기의 크기 및 무게: 이용 시간이 증가하면서 신체 피로도 유발고려 • 이용 시간: 장시간 이용에 따른 시력저하 및 멀미 예방을 위해 적절한 이용 시간 고려
사용자 감각정보 일체화	• 시야각, 해상도, 재생빈도가 적절한지 확인 권고 • 디스플레의 발광과 해상도가 국제규격 ISO/DIS 9241-391 요구사항 및 적합성 테스트에 부합하는지 확인 권고 • 사용된 소리 이용자에게 의도한 의미를 전달하는지 확인할 것 권고

[표 20] 콘텐츠 개발 가이드라인

	내용
상태 상황 식별	• 실제와 HMD용 VR 콘텐츠 내에서의 움직임이 다른 경우 멀미유발 가능 • 디스플레이의 높은 발광량과 빠른 색상 교차는 광과민성 발작 증상 • 유발 가능 • 콘텐츠 영상 품질이 낮을 경우 이용자의 몰입을 저해하고 피로도를 높이는 요소가 됨
편의성	• HMD 착용 중 콘텐츠 검색, 구매 과정은 PC/모바일 보다 시야가 제한된다는 것을 알아야함
인터페이스 디자인	• 제작자는 VR용 HMD 기기의 조작방식을 숙지하고 콘텐츠 조작을 설계해야 함 • 소리를 통해 사물의 움직임이나 위치를 인지할 수 있어야 함
컨트롤러	• 이용자의 콘트롤러 조작 적응 숙련도가 저마다 다르므로 설정을 통해 자신에게 맞출 수 있어야 함 • 콘트롤러와 콘텐츠의 연결 손실에 대응하여 이용자가 어떤 행동도 취할 수 없는 상황이 발생하지 않아야 함

[표 21] 콘텐츠 개발 가이드라인

06

결론(시사점)

6. 결론(시사점)

증강현실은 다양한 산업과의 융합을 통해 새로운 시장 및 일자리를 창출하여 새로운 성장동력으로서의 잠재력을 보유하고 있는 기술로, 지금까지는 HMD와 같은 하드웨어를 중심으로 성장해왔지만 장비가 기본적으로 보급된 이후에는 콘텐츠를 비롯한 플랫폼 등 SW 및 서비스 시장이 더 큰 비중을 차지할 것으로 전망된다.

일반 대중에게는 널리 알려지지 않았으나 현재에도 디지털 트윈 등 건설·제조·물류 산업을 중심으로 증강현실 기술을 활용하기 위한 많은 시도들이 진행 중에 있다. 아직은 정밀함이 요구되는 현장에 100% 적용하기 어렵기 때문에 제한적인 상황에서 보조 도구 성격으로 활용되고 있지만 새로운 디바이스가 끊임 없이 개발·출시되면서 정확도와 안전성 문제는 자연스럽게 해결될 것으로 예상된다.

또한, 비대면이 확산됨에 따라 온라인 가상 회의, 온라인 교육 등에서도 증강현실 기술이 많이 활용되고 있다. 증강현실을 사용하면 실시간으로 원격 지원이 가능하기 때문에 향후 교육이나 의료 분야로도 확대될 수 있어 시장 잠재력이 매우 클 것으로 기대된다. 게다가 디지털 전환이 화두로 떠오른 가운데 이미 초당 수십 기가비트의 데이터를 전송할 수 있는 5G 환경이 갖춰져 있고 방대한 양의 지도 정보 등 활용할 수 있는 자원이 충분히 많기 때문에 디바이스가 안정화되고 기업과 일반 개인에게까지 널리 보급되면 증강현실 생태계도 자연스럽게 커질 것이다.

이처럼 증강현실 분야는 하루가 다르게 변화하고 있다. 즉, 기술의 발전이 매우 빠르다는 것이다. 또한, 디지털 변환이 가속화되고 메타버스의 시대가 도래하면서 기술의 경계가 모호해지고 있다. 이에, 우리나라도 이러한 세계적인 트렌드에 재빨리 대응하지 않으면 시장 변화를 쫓아가기가 매우 어려워질 것이다.[82] 따라서 증강현실 기술 확보와 증강현실 스타트업 육성을 위한 다양한 지원체계를 구축해야 할 것이며, 대기업 위주의 기술개발이 아닌 다양한 산업군에서 다각도의 기술개발 및 활용을 위한 노력이 지속되어야 할 것이다.

---

82) 증강현실의 현재와 나아갈 방향 - 영화 속 미래가 다가오고 있다, 삼성SDS, 2021.06.25

7. 참고문헌

[1] VR/AR, 비현실의 현실화, 삼성증권, 2019.07.12.

[2] 증강현실 요소기술과 동향 - 비전기반 추적 기술을 중심으로 -, 박한훈, 박종일, 한국멀티미디어학회지 제20권 제4호 2016년 12월

[3] 증강현실에 사용되는 상호작용 방법의 종류 및 분석, 황재인, 정보처리학회지 제25권 제2호(2018. 7)

[4] 주간 기술 동향, 정보통신기술진흥센터, 2018.12.12

[5] 다변화하고 있는 증강현실 기기 산업, 김향규, 2019.10

[6] 증강 현실 시장, 글로벌 시장동향보고서, 연구개발특구진흥재단, 2021.03

[7] 가상현실(VR)·증강현실(AR) 산업정책의 평가와 개선과제, 국회입법조사처, 2019.12.26

[8] 5G시대, 실감산업 육성 방안 연구, SPRI, 2020.01

[9] 위지윅스튜디오, 한국IR협의회, 2021.07.29

[10] 헬스케어용 증강현실 및 가상현실 시장, 연구개발특구진흥재단, 2020.02

[11] 자동차용 증강현실 시장, 연구개발특구진흥재단, 2020.02

[12] 교육 분야에서의 가상 · 증강현실 적용 동향, 주간기술동향, iitp, 2021.06.09.

[13] VR·AR 디바이스 제작·이용 가이드라인 2020, 정보통신산업진흥원

초판 1쇄 인쇄 2017년 10월 7일
초판 1쇄 발행 2017년 10월 23일
개정판 2019년 5월 24일
개정2판 2020년 6월 1일
개정3판 2022년 3월 21일

편저 ㈜비피기술거래
펴낸곳 비티타임즈
발행자번호 959406
주소 전북 전주시 서신동 832번지 4층
대표전화 063 277 3557
팩스 063 277 3558
이메일 bpj3558@naver.com
ISBN 979-11-6345-348-2(93550)
가격 **66**,000원

이 도서의 국립중앙도서관 출판예정도서목록(CIP)은 서지정보유통지원시스템 홈페이지 (http://seoji.nl.go.kr)와국가자료공동목록시스템(http://www.nl.go.kr/kolisnet)에서 이용하실 수 있습니다.